LE GRAND LIVRE DES SALADES

Alessandra Avallone

LE GRAND LIVRE DES SALADES

Photographies
de Franco Pizzochero

SOLAR

Titre original de cet ouvrage :
INSALATE
Traduction-adaptation : Christine PIOT.
© 1988, Arnoldo Mondadori Editore S.p.A, Milan, pour l'édition originale.
© 1989, Éditions Solar, Paris, pour la traduction-adaptation française.

ISBN : 2-263-01429-2.
N° d'éditeur : 1614.

Photocomposition : Nord Compo, Villeneuve d'Ascq.
Imprimé en Italie.

SOMMAIRE

La cuisine, c'est quand les choses
Ont le goût de ce qu'elles sont.

CURNONSKY

PRÉSENTATION

Longtemps, les salades ont été considérées comme secondaires tant dans la cuisine de tous les jours que dans les repas de fête. Mais, depuis quelques années, le souci d'une alimentation plus saine et surtout plus conforme au rythme trépidant qu'imposent les horaires de travail tend à les mettre à l'honneur.

La salade a donc quitté son rôle de complément pour occuper le devant de la scène et constituer parfois un plat à part entière. L'incroyable variété des ingrédients désormais disponibles, qu'ils soient de la région ou importés de loin, permet de sélectionner ceux qui s'accordent le mieux à vos besoins et à vos souhaits du moment : un repas de fête, un petit dîner gourmand entre amis, un déjeuner un peu insolite ou végétarien, où l'on a plaisir à se mettre à table sans risque pour sa ligne.

Les salades sont des plats faciles, rapides à préparer, toujours réussis et ne nécessitant aucun tour de main spécial, mais il ne faut pas craindre d'innover. La fantaisie est l'ingrédient de base des recettes que ce livre propose et de toutes celles que, je l'espère, il vous suggérera.

La première règle à respecter est celle de l'équilibre, c'est-à-dire de l'harmonie des saveurs mais aussi des arômes et des couleurs. Car, les salades se composant de plusieurs éléments, il faut prendre garde qu'aucun ne nuise aux autres. Un ingrédient à la saveur particulièrement forte devra être compensé par d'autres plus délicats. Il faudra également tenir compte des couleurs des aliments pour créer des juxtapositions agréables à l'œil.

La deuxième règle porte sur l'assaisonnement, car c'est lui qui lie l'ensemble. La plupart des condiments sont à base d'huile et de vinaigre, mais il en existe une infinité de variétés. C'est en apprenant à les choisir à bon escient que vous découvrirez combien une vinaigrette élaborée avec soin peut transformer et rendre originale une recette par ailleurs banale.

Les fines herbes et les aromates, enfin, relèvent les saveurs et mettent une dernière touche de distinction à des plats qui font monter l'eau à la bouche avant même qu'on y ait goûté. Il ne s'agit certes dans ce livre que de simples salades mais toujours inattendues et « présentables » en toutes circonstances.

INTRODUCTION

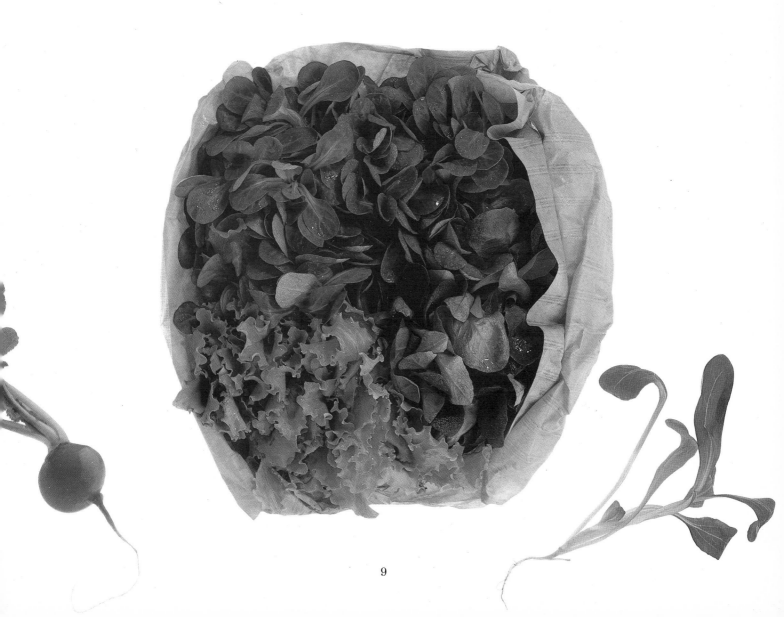

huile de maïs   huile de noix   huile d'olive vierge   huile à la sauge et au romarin   huile au myrte

L'HUILE

L'huile est un fluide végétal gras, extrait de fruits ou de graines d'origines diverses. Les huiles extraites de graines comme l'arachide, le tournesol ou le maïs, bien que très utilisées, sont peu recommandées pour assaisonner les salades car elles manquent presque totalement de goût. Les huiles de noix et de noisettes sont peu utilisées bien qu'elles possèdent une saveur caractéristique, très délicate, qui convient parfaitement à certaines salades. Elles sont malheureusement très chères et se conservent

mal : au bout de quelques mois, elles prennent un mauvais goût de rance. Courantes dans certaines régions comme la Provence, elles doivent être achetées de préférence par demi-litres.

L'huile d'olive, en revanche, mériterait à elle seule de faire l'objet d'un livre et, incontestablement, c'est elle qui fait toute la différence. Choisissez toutefois, pour conserver ses qualités propres, l'huile vierge, car c'est la seule qui soit issue d'une première pression effectuée à froid et non raffinée ; la qualité dite extra a un taux d'acidité inférieur à 1%. C'est un excellent aliment du point de vue diététique, mais, surtout, elle a une saveur

huile à l'ail   huile au fenouil   huile au laurier et au genièvre   huile aux piments   huile au thym

riche, pleine, onctueuse, absolument unique parmi tous les condiments. Elle peut être plus ou moins parfumée, piquante, d'un vert intense ou pâle suivant la provenance. Choisissez celle qui vous satisfait et n'en changez plus.

Comme le vinaigre, l'huile peut s'aromatiser avec des herbes ou des épices :

1. Huile aux piments pour les salades de viande, de légumes ou de céréales.

2. Huile à l'ail pour les salades vertes et de tomates.

3. Huile à la sauge et au romarin pour les salades de légumes cuits à l'eau ou au gril et pour toutes les salades de viande ou de poisson.

4. Huile au fenouil pour les salades de poisson, de crustacés et de fromages.

5. Huile au poivre pour toutes les salades.

6. Huile au genièvre pour les salades aigres-douces et de fromages.

7. Huile à l'origan et à la marjolaine pour les salades vertes estivales et de pâtes.

8. Huile au laurier et au thym pour les salades de viande ou de fromages.

9. Huile au myrte pour les salades de viande, de fromages et pour toutes celles que vous inventerez...

vinaigre de champagne
au poivre rose

vinaigre de champagne
à l'estragon

vinaigre de vin blanc
à l'échalote

vinaigre de cidre

vinaigre de vin blanc aux piments,
au laurier et à la coriandre

LE VINAIGRE

Le vinaigre provient de la fermentation acétique qui se produit dans les solutions alcoolisées, en présence d'un certain type de bactéries. On obtient différents vinaigres suivant l'alcool utilisé : cidre, malt, riz, xérès, vin blanc, vin rouge, champagne, etc. Le plus employé en Occident est le vinaigre de vin, ingrédient de base de la vinaigrette classique. Si le vin de départ est de bonne qualité, le vinaigre aura un arôme riche, prononcé, qui donnera du corps à l'assaisonnement et exaltera la saveur des différents ingrédients. Si vous voulez donner à vos salades une note personnelle, vous pouvez préparer des vinaigres maison, parfumés aux herbes, aux épices ou aux fruits.

La recette de base est extrêmement simple : choisissez des herbes très fraîches, si possible à peine cueillies (pensez à préparer vos vinaigres à la campagne en rassemblant les herbes sauvages que vous trouverez aisément sur votre chemin), lavez-les avec soin et mettez-les à macérer dans 1 litre de vinaigre. Bouchez hermétiquement la bouteille que vous conserverez dans l'obscurité et au frais pendant 3 ou 4 semaines.

vinaigre de vin blanc
aux fraises

vinaigre de xérès

vinaigre de vin blanc
aux framboises

vinaigre de vin blanc
aux myrtilles

vinaigre de vin rouge

Ensuite, filtrez à l'aide d'un morceau de gaze uniquement la quantité de vinaigre que vous avez l'intention d'utiliser à court terme et laissez à l'abri de la lumière et bien rebouchées les bouteilles que vous gardez en réserve. Voici une liste des préparations les plus courantes, vous pourrez en découvrir d'autres au gré de votre imagination :

1. Vinaigre de vin rouge à l'échalote ou à l'ail pour les salades vertes, de tomates et de viande.
2. Vinaigre de vin rouge au poivre vert ou au poivre rose pour les salades de poisson et de viande.
3. Vinaigre de champagne au poivre rose pour les salades aigres-douces et aux fleurs.
4. Vinaigre de vin rouge à la menthe pour les salades de viande, de crustacés, de fruits de mer, de courgettes, etc.
5. Vinaigre de champagne à l'estragon pour les salades vertes, de poisson, de germes ou de pousses.
6. Vinaigre de vin blanc aux fraises pour les salades aigres-douces ou de fruits.
7. Vinaigre de vin blanc aux framboises et autres fruits des bois pour les salades aigres-douces, de viande, de gibier, les salades nouvelles et aux fleurs.
8. Vinaigre à la coriandre, au piment, au laurier et au poivre pour les salades exotiques ou piquantes.

PLAT UNIQUE

Si l'on pense à un menu classique complet... il se compose d'une entrée, d'un plat de résistance, d'une salade, d'un fromage, d'un dessert et de fruits. Il est vrai qu'il est bien plus agréable parfois de faire une « grande bouffe ». Mais qui de nous peut encore y songer sans problèmes de temps, de digestion et de nombre de calories ? Nous avons perdu l'habitude des grands repas et, très souvent, le plat de base unique paraît la solution la plus pratique. Encore faut-il que l'on ait toujours plaisir à se mettre à table ! Or le principe du plat unique autorise précisément toutes les variations, les innovations, les découvertes de nouvelles saveurs. Pour une alimentation saine, il convient d'accorder une large place aux féculents et aux céréales. Ce sont des aliments qui fournissent un apport nutritif équivalent au repas traditionnel, et les plats uniques sont souvent à base de riz et de pommes de terre, dont le goût suffisamment neutre laisse toute leur saveur aux autres ingrédients et aux condiments et permet qu'on ne s'en lasse pas. Mais saviez-vous que les pâtes, si variées, sont aussi excellentes en salade ? En été, surtout, les salades sont idéales. Elles se servent tièdes ou froides et se préparent à l'avance. Finie la cuisine astreignante qui écourte les promenades !

■

Pages précédentes :
Salade de pâtes au safran

SALADE DE PATES AU SAFRAN

Pour 4 personnes

300 g de nouilles plates en anneaux

une dosette de safran

un concombre

une botte de catalogne
(petite salade allongée, amère,
qu'on trouve dans le mesclun)

300 g de comté ou de fribourg

un quart de poivron vert

une gousse d'ail et un bouquet de persil

2 échalotes

6 cornichons au vinaigre

une cuillerée à café de grains de cumin

vinaigre de vin rouge

huile d'olive vierge extra

sel, poivre frais moulu

Séparez les feuilles de salade, gardez-en quelques-unes pour décorer les assiettes et mettez les autres à tremper dans l'eau froide pendant 1 heure, puis égouttez-les et coupez-les grossièrement. Lavez les cœurs et découpez-les en petits morceaux. Lavez et essuyez le concombre, ouvrez-le en deux dans le sens de la longueur, retirez les pépins et coupez-le en demi-rondelles. Découpez le fromage en dés, puis en triangles et réunissez tous ces ingrédients dans un saladier avec un peu de poivre et 2 cuillerées à soupe d'huile. Pour la vinaigrette : pilez au mortier les grains de cumin et la gousse d'ail, ajoutez 2 cuillerées à soupe de vinaigre, plusieurs d'huile, les échalotes, le persil, le poivron et les cornichons hachés, du sel et du poivre. Jetez les pâtes dans une casserole d'eau bouillante salée additionnée de safran et d'une cuillerée à café d'huile. Égouttez-les dès qu'elles sont « al dente » et passez-les sous un jet d'eau froide sans trop les refroidir. Ajoutez-les dans le saladier, assaisonnez avec la vinaigrette et mélangez bien. Laissez prendre goût une bonne demi-heure et servez.

Salade de pâtes à l'italienne

SALADE DE PATES A L'ITALIENNE

Pour 4 personnes

300 g de plumes (penne)

4 tomates bien mûres

300 g de brocolis

250 g de ricotta ou de fromage blanc égoutté

12 olives noires

un oignon

*6 tomates (ou poivrons rouges)
conservées à l'huile*

un petit piment fort

une cuillerée à soupe d'origan

huile d'olive vierge extra

sel, poivre frais moulu

Hachez finement les tomates à l'huile (ou les poivrons) et le piment, joignez-y l'origan, 6 cuillerées à soupe d'huile, du sel, du poivre et laissez mariner pendant que vous préparez les autres ingrédients. Lavez et essuyez bien les tomates fraîches, coupez-les en morceaux et salez-les. Lavez les brocolis, découpez-les en branchettes et faites-les blanchir 10 minutes à l'eau bouillante. Égouttez-le à l'écumoire et gardez l'eau pour faire cuire les pâtes. Quand celles-ci seront « al dente », égouttez-les et passez-les sous l'eau froide pour arrêter la cuisson. Dans un grand saladier, mélangez les pâtes, les tomates, les brocolis, la ricotta coupée en morceaux, l'oignon émincé et les olives avec la vinaigrette pimentée. Goûtez pour saler à point et laissez reposer 1 heure au réfrigérateur avant de servir.

■

HARENGS EN SALADE

Pour 4 personnes

*300 g de rollmops
(harengs marinés d'origine scandinave)*

3 gros cornichons à l'aigre-doux

300 g de pommes de terre déjà cuites

150 g de betterave cuite

3 œufs durs

2 cuillerées à soupe d'aneth haché

150 g de yaourt

une gousse d'ail hachée

une cuillerée à soupe de jus de citron

sel, poivre frais moulu

Déroulez les harengs et coupez-les en lanières de 1 centimètre de large. Épluchez les pommes de terre et la betterave et découpez-les en petits dés. Écalez les œufs et émiettez-les grossièrement à la fourchette. Mettez tous ces ingrédients dans un saladier avec les cornichons coupés en rondelles. Puis mélangez yaourt, jus de citron, ail, sel et poivre, versez sur la salade, saupoudrez d'aneth haché et servez bien frais.

■

JARDINIÈRE DE LÉGUMES AUX NOUILLES

Pour 4 personnes

400 g de nouilles complètes de forme fantaisie

une petite betterave cuite

une carotte

une courgette

100 g de petits oignons

150 g de petits pois surgelés

un petit fenouil

2 tomates bien fermes

200 g de brocolis

un oignon

un petit bouquet de mélisse fraîche ou de menthe

un bouquet de ciboulette (facultatif)

une cuillerée à soupe de vinaigre

une cuillerée à soupe de jus de citron

huile d'olive vierge

sel, poivre frais moulu

Jardinière de légumes aux nouilles

Épluchez et lavez bien tous les légumes. Coupez-les soit en dés, soit en petits morceaux. Faites blanchir 5 minutes à l'eau bouillante salée : courgette, carotte, fenouil, petits oignons, brocolis et petits pois. Puis égouttez-les, ajoutez la betterave coupée en dés et faites-les sauter à la poêle avec 3 cuillerées d'huile, du sel et du poivre. Jetez les nouilles dans l'eau bouillante salée, égouttez-les dès qu'elles sont « al dente » et passez-les sous l'eau froide pour arrêter la cuisson. Joignez-y les légumes sautés, les tomates crues et salées à part, l'oignon et les fines herbes hachés. Laissez reposer un peu mais servez encore tiède avec une vinaigrette composée de vinaigre, de jus de citron, de 4 cuillerées d'huile, de sel et de poivre.

■

SALADE PIQUANTE AUX DEUX VIANDES

Pour 4 personnes

300 g de papillons ou de farfalle (éventuellement à la tomate)

un poivron jaune

un poivron rouge

une petite boîte de pousses de soja

une tranche de jambon cuit de 200 g

une tranche de rôti de dinde de 200 g

un petit bouquet de persil frisé

une cuillerée à soupe de moutarde

vinaigre de vin rouge

huile d'olive vierge extra ou d'arachide

sel, poivre frais moulu

Lavez les poivrons, ôtez-en les pépins et les parties blanches, découpez-les en lanières, gardez-en quelques-unes pour la décoration et hachez le reste grossièrement. Coupez en petits dés la dinde et le jambon dont vous aurez ôté le gras. Mélangez le tout dans un saladier avec le persil haché ou en bouquets et les pousses de soja. Poivrez et ajoutez 2 cuillerées d'huile.

Pour la vinaigrette, mélangez la moutarde avec 2 cuillerées de vinaigre et 5 ou 6 cuillerées d'huile, puis battez vigoureusement au fouet. Jetez les pâtes dans l'eau bouillante additionnée d'une cuillerée à café d'huile, égouttez-les dès qu'elles sont « al dente », passez-les sous l'eau froide et ajoutez-les dans le saladier. Arrosez de vinaigrette, salez, poivrez à volonté et laissez prendre goût un instant avant de servir.

■

SALADE D'AUBERGINES ET DE CROQUETTES D'AGNEAU

Pour 4 personnes
une frisée
2 petites aubergines
200 g de viande d'agneau hachée
2 tranches de pain de mie
un bouquet de menthe fraîche
un œuf
une gousse d'ail hachée
une cuillerée à soupe d'oignon haché
200 g de yaourt
2 cuillerées à soupe de crème fraîche
farine
vinaigre
huile d'olive vierge
huile à friture
sel, poivre frais moulu

Épluchez et lavez la menthe, hachez-la grossièrement. Retirez la croûte des tranches de pain, émiettez-les et mouillez-les d'une cuillerée de vinaigre. Puis, dans un saladier, mélangez la viande d'agneau, le pain, l'œuf et 2 cuillerées de menthe, ajoutez du sel et du poivre. Constituez, avec ce mélange, des petites boulettes un peu plus grosses qu'une noix que vous roulerez dans la farine et ferez frire dans l'huile chaude. Épongez-les avec du papier absorbant et gardez au chaud. Lavez et pelez les aubergines, coupez-les en dés et faites-les frire dans l'huile bouillante jusqu'à ce qu'elles soient bien dorées, puis épongez-les comme les croquettes et salez-les. Dans un bol, mélangez le yaourt avec la crème, l'ail, l'oignon et le restant de menthe, salez, poivrez. Au moment de servir, joignez les croquettes à la salade préparée et aux aubergines ; offrez la vinaigrette à part.

■

SALADE CAMPAGNARDE

Pour 4 personnes
600 g de pommes de terre nouvelles
un céleri à côtes
300 g de jambon cuit fumé
2 cuillerées de persil haché
une demi-cuillerée à soupe de moutarde de Meaux
une demi-cuillerée à café de miel
une gousse d'ail
vinaigre de cidre
huile d'olive vierge extra ou de maïs
sel, poivre

Lavez bien les pommes de terre pour enlever toute trace de terre. Faites-les cuire à l'eau bouillante salée, puis égouttez-les ; quand elles ont refroidi, coupez-les en rondelles sans les éplucher. Salez et assaisonnez de 2 cuillerées de vinaigre et 3 d'huile. Coupez le jambon en petits dés. Lavez le céleri, retirez les branches les plus dures et émincissez-le, feuilles comprises. Mélangez dans un bol la moutarde, le miel et l'ail pilé, ajoutez 2 cuillerées de vinaigre et 10 d'huile, salez, poivrez. Mettez dans un saladier les pommes de terre, le jambon, le céleri et le persil, assaisonnez avec un peu de vinaigrette et laissez reposer 30 minutes. Servez avec le restant d'assaisonnement dans un récipient à part.

SALADE DE THON AUX HARICOTS

Pour 4 personnes

une laitue

4 tomates bien fermes

400 g de thon à l'huile

2 ciboules

un petit concombre

200 g de haricots blancs déjà cuits

4 œufs durs

12 olives noires

un quart de poivron rouge

2 gousses d'ail

vinaigre de vin rouge

huile d'olive vierge extra

sel, poivre frais moulu

8 tranches de pain de campagne

Prévoyez déjà quatre grandes assiettes que vous garnirez au fur et à mesure avec : la laitue lavée et déchirée à la main, les tomates lavées et coupées en quartiers, le concombre épluché et coupé en dés, les olives dénoyautées et coupées en deux, les œufs écalés et coupés en rondelles, le poivron haché grossièrement et les ciboules émincées. Ajoutez enfin le thon égoutté et écrasé à la fourchette, ainsi que les haricots. Préparez la vinaigrette à part : 3 cuillerées de vinaigre, 6 cuillerées d'huile, du sel, du poivre

et une gousse d'ail hachée ; puis versez-en un peu sur chaque assiette. Entre-temps, vous aurez fait griller les tranches de pain, au grille-pain ou sous le gril du four. Quand elles sont bien croustillantes, frottez-les avec la gousse d'ail qui reste, poivrez-les légèrement et placez-en deux au bord de chaque assiette.

■

SALADES DE MAQUEREAUX FUMÉS AUX PATES

Pour 4 personnes

300 g de coquillettes

300 g de filets de maquereaux fumés

une pomme légèrement acide

un fenouil

un cœur de céleri

150 g de mayonnaise

150 g de crème fraîche

une cuillerée à soupe de raifort râpé

huile d'arachide

le jus d'un citron

sel, poivre

Retirez la peau des maquereaux et coupez-les en morceaux, poivrez et versez dessus une cuillerée à soupe de jus de citron. Épluchez la pomme, ôtez-en le cœur et les pépins, coupez-la en petits dés et arrosez-la immédiatement d'un peu de jus de citron pour éviter qu'elle noircisse. Émincez le céleri et le fenouil, préalablement épluchés et lavés. Mélangez dans un bol la mayonnaise avec la crème et le restant de jus de citron, ajoutez le raifort, salez, poivrez. Jetez les pâtes dans l'eau bouillante salée additionnée d'une cuillerée à café d'huile. Puis égouttez-les dès qu'elles sont « al dente » et rafraîchissez-les complètement sous l'eau froide. Laissez-les sécher et ajoutez 2 cuillerées d'huile. Versez le tout dans un grand saladier, arrosez de vinaigrette et remuez bien jusqu'à ce que l'ensemble soit parfaitement mélangé.

SALADE DE SAUCISSES AU CHOU

Pour 4 personnes

un chou frisé

4 saucisses de Strasbourg ou un cervelas

150 g de lard maigre fumé

une demi-cuillerée à soupe de graines de cumin

vinaigre de vin rouge

sel, poivre

huile d'olive vierge extra ou d'arachide

Débarrassez le chou de ses feuilles les plus dures et émincez-le. Lavez-le et épongez-le soigneusement. Pilez les graines de cumin dans un mortier et saupoudrez-en le chou. Ajoutez 2 pincées de poivre, 2 de sel, 3 cuillerées à soupe de vinaigre, mélangez bien et laissez macérer 1 heure. Au moment de servir, plongez un instant les saucisses dans l'eau frémissante et coupez-les en rondelles. Coupez le lard en petits dés et faites-le rissoler à la poêle dans 2 cuillerées d'huile. Mélangez le tout et servez tiède.

■

SALADE DE FRUITS DE MER

Pour 4 personnes

200 g de riz long (genre Basmati)

2 gros bouquets de roquette ou de barbarée

24 gambas

1 kg de moules

600 g de petits poulpes déjà parés

un verre de vin blanc

300 g de crème fraîche

une demi-cuillerée à soupe de concentré de tomate

2 tomates bien mûres

2 gousses d'ail

une ciboule

une échalote

Salade de fruits de mer

un petit bouquet d'aneth

2 cuillerées à soupe de jus de citron

huile d'olive vierge extra ou de maïs

sel, poivre frais moulu

Passez les moules sous l'eau courante, grattez-les bien en retirant les barbes et mettez-les dans une casserole avec le vin blanc ; laissez cuire à feu vif jusqu'à ce qu'elles s'ouvrent. Décoquillez-les. Puis filtrez le jus de cuisson et remettez-le sur le feu ; faites-y cuire les gambas pendant 5 minutes. Égouttez-les et décortiquez-les. Mettez de côté 4 cuillerées de jus de cuisson et allongez le restant de 1 litre d'eau chaude pour y faire cuire les poulpes jusqu'à ce qu'ils deviennent tendres (environ 45 minutes). Mélangez les fruits de mer dans un saladier, assaisonnez de la moitié du jus de citron, de poivre, de 3 cuillerées d'huile et de sel, si nécessaire. Ajoutez-y la salade lavée et coupée en petits morceaux. Faites cuire le riz à l'eau bouillante salée, égouttez-le, passez-le sous l'eau froide pour arrêter la cuisson et mélangez-le aux autres ingrédients. Couvrez le tout et laissez reposer au réfrigérateur pendant au moins 1 heure. Hachez l'ail, l'échalote, la ciboule (partie verte comprise), l'aneth et les tomates pelées après les avoir ébouillantées. Faites réduire le restant de jus de cuisson jusqu'à la valeur d'une cuillerée, allongez-le de crème et délayez avec le concentré de tomate. Puis laissez la sauce épaissir à feux doux, salez, poivrez à volonté, ajoutez le jus de citron et le hachis d'aromates et de tomates. Servez la salade de fruits de mer froide accompagnée de sauce tiède.

■

PAN BAGNA

Pour 4 personnes

une baguette

un oignon

4 tomates bien mûres

un petit poivron

2 cuillerées à soupe d'olives dénoyautées

8 filets d'anchois à l'huile

2 gousses d'ail

une cuillerée à café de moutarde de Dijon

vinaigre de cidre

huile d'olive vierge extra

sel, poivre frais moulu

Mettez dans un bol les gousses d'ail épluchées et hachées au couteau. Ajoutez-y la moutarde, du sel et du poivre. Délayez avec 3 cuillerées de vinaigre et 6 d'huile et émulsionnez la vinaigrette en la battant au fouet. Ouvrez la baguette dans le sens de la longueur et arrosez abondamment l'intérieur de vinaigrette. Puis, garnissez-la avec les tomates coupées en rondelles, l'oignon émincé, les olives, les anchois, et le poivron épluché et découpé en lanières. Refermez la baguette, enveloppez-la de papier d'aluminium et laissez reposer 30 minutes en écrasant avec des poids répartis sur toute la longueur. Coupée en quatre, cette baguette constitue un excellent sandwich de midi pour les chaudes journées d'été.

■

SALADE DE SPAGHETTIS

Pour 4 personnes

300 g de spaghettis

2 pieds de trévise

150 g de grains de maïs cuit

10 tranches de salami

4 œufs

une cuillerée à soupe d'oignon haché

2 cuillerées à soupe de persil haché

une gousse d'ail

piment en poudre (facultatif)

huile d'olive vierge extra ou de maïs

sel, poivre frais moulu

Cassez les œufs au-dessus d'un bol et ajoutez l'oignon et le persil hachés, du sel et du poivre. Mélangez. Faites cuire l'omelette avec une cuillerée d'huile dans une poêle qui n'attache pas. Puis laissez-la refroidir et coupez-la en morceaux. Lavez et découpez les feuilles de trévise. Coupez le salami en lanières très fines. Jetez les spaghettis dans l'eau bouillante salée, égouttez-les dès qu'ils sont « al dente » et passez-les sous l'eau froide pour arrêter la cuisson. Mélangez-les encore tièdes avec la salade, le maïs, le salami et l'omelette. Aromatisez le tout de poivre, de piment et d'ail haché, salez, arrosez d'huile et servez sans attendre.

■

SALADE DE MUSEAU AUX HARICOTS

Pour 4 personnes

un pied de laitue de Vérone

un cœur de scarole

une botte de ciboules

400 g de haricots à écosser déjà cuits

250 g de museau

un bouquet de persil

quelques brins de ciboulette

10 feuilles de basilic

vinaigre de vin rouge

huile d'olive vierge aromatisée à l'ail

sel, poivre frais moulu

Épluchez, lavez les salades et émincez-les. Assaisonnez les haricots avec beaucoup de poivre, du sel, les ciboules et la ciboulette hachées et les feuilles de basilic coupées aux ciseaux. Ajoutez le museau découpé en petits morceaux, mélangez bien et laissez reposer plusieurs heures au frais. Détachez les feuilles de persil (choisissez de préférence un persil à petites feuilles), lavez-les, essuyez-les et laissez-les entières. Au moment de servir, mélangez le tout et assaisonnez de vinaigre et d'huile aromatisée.

S · A · L · A · D · E · S
DERNIÈRE MINUTE

Des amis qui restent à dîner au dernier moment, une petite fête improvisée, une assiette avalée à toute vitesse avant d'aller au cinéma... Il arrive de devoir improviser un repas alors qu'on n'a rien acheté en conséquence. Rassurez-vous, il n'y a pas que les éternels « œufs durs ». Avec quelques réserves dans le placard ou des restes au réfrigérateur, il vous sera facile de préparer un petit plat savoureux et original. La plupart des recettes réunies dans ce chapitre sont à base d'aliments en conserve, surgelés ou très courants et dont on manque rarement. Bien sûr, rien ne remplace les produits frais, mais il peut être utile et amusant de se constituer une petite réserve de bonnes choses, très appréciables en cas d'imprévu. Et si vraiment vous avez renoncé aux conserves industrielles, avez-vous songé à en faire vous-mêmes ?

■

Pages précédentes :
Salade d'endives
à la viande des Grisons

SALADE D'ENDIVES A LA VIANDE DES GRISONS

Pour 4 personnes

4 endives

une petite scarole

250 g de viande des Grisons

le jus d'un citron

huile d'olive vierge extra

sel, poivre frais moulu

Épluchez et lavez la scarole, déchiquetez-la avec les mains. Lavez les endives et, avec la pointe d'un couteau, retirez-en le cœur amer. Coupez si nécessaire la viande des Grisons en tranches très fines, disposez-les dans un plat et versez dessus une vinaigrette composée du jus de citron, de sel et de 6 cuillerées d'huile. Laissez mariner 10 minutes, puis mélangez à la salade, poivrez abondamment et servez.

■

POMMES DE TERRE NOUVELLES EN SALADE

Pour 4 personnes

*800 g de rosevals nouvelles
(ou autres pommes de terre nouvelles)*

2 oignons rouges

un bocal de pickles

un bouquet de persil

*une cuillerée à café
de moutarde de Meaux*

vinaigre de vin rouge ou de xérès

*huile d'olive vierge (ou de maïs)
aromatisée au thym*

sel, poivre frais moulu

Hachez au couteau ou au mixer les pickles égouttés. Ajoutez la moutarde, 3 ou 4 cuillerées de vinaigre, un demi-verre d'huile et les oignons émincés. Mélangez et laissez reposer 30 minutes. Brossez bien les pommes de terre sous l'eau courante, faites-les cuire à l'eau bouillante

Pommes de terre nouvelles en salade

31

Salade de carottes aux cœurs de palmier

salée. Puis égouttez-les, coupez-les en morceaux sans les éplucher et mélangez-les avec le reste de la salade. Parsemez abondamment de persil ; salez, poivrez, remuez bien et servez.

∎

CROQUETTES DE VIANDE EN SALADE

Pour 4 personnes

*200 g de mesclun
(ou de salades diverses)*

un cœur de céleri en branches

300 g de viande hachée

40 g de gruyère (ou de parmesan) râpé

*2 tranches de pain de mie,
imbibées de lait et égouttées*

un bouquet de basilic et de persil frais

une gousse d'ail hachée

un œuf

farine

huile à friture

noix muscade râpée

vinaigre de xérès

huile d'olive vierge extra

sel, poivre frais moulu

Travaillez ensemble la viande, le pain écrasé, le fromage râpé, l'ail, 2 cuillerées d'herbes hachées, 2 pincées de noix muscade, du sel et du poivre. Incorporez l'œuf et formez des boulettes, un peu plus grosses qu'une noix, que vous roulerez dans la farine. Rincez et essorez les petits morceaux de salade, lavez le céleri et hachez-le grossièrement. Faites frire les boulettes dans l'huile bouillante. Égouttez-les sur une feuille de papier absorbant et ajoutez-les à la salade. Assaisonnez d'huile, de vinaigre, de sel et de poivre. Mélangez bien et servez.

SALADE DE CAROTTES AUX CŒURS DE PALMIER

Pour 4 personnes

500 g de carottes

une boîte de cœurs de palmier

50 g de noisettes grillées

*une cuillerée à café et demie
de câpres au vinaigre*

une cuillerée à soupe d'aneth haché

le jus d'un citron

huile de noix

sel, poivre frais moulu

Épluchez et lavez les carottes, râpez-les et mettez-les dans un plat. Ajoutez-y les cœurs de palmier, égouttés et coupés en rondelles. Hachez la moitié des noisettes et des câpres et ajoutez-les. Salez, poivrez, arrosez de jus de citron et d'huile, parsemez d'aneth et laissez reposer 10 minutes en remuant de temps en temps. Au moment de servir, ajoutez le reste des câpres et des noisettes. Préparez (facultatif) une vinaigrette avec une cuillerée à café de moutarde forte, 2 cuillerées de vinaigre, une pincée de gingembre en poudre, de l'huile, du sel et beaucoup de poivre.

∎

SALADE DE POMMES DE TERRE AU FROMAGE BLANC

Pour 4 personnes

600 g de pommes de terre cuites

400 g de fromage blanc

2 œufs durs

*un mélange d'herbes
(même surgelées ou séchées) :
persil, basilic, menthe, estragon,
feuilles de céleri et de fenouil*

*huile d'olive vierge extra
aromatisée à l'ail*

vinaigre aux fraises

2 cuillerées à soupe de crème fraîche

sel, poivre frais moulu

Mélangez le fromage blanc avec la crème, une pincée de sel et une de poivre. Écalez les œufs, coupez-les en morceaux, écrasez-les à la fourchette et ajoutez les herbes finement hachées, du sel, du poivre, 3 cuillerées de vinaigre et 6 d'huile. Épluchez les pommes de terre, coupez-les en rondelles et assaisonnez avec la sauce aux herbes et aux œufs. Disposez sur un plat à servir avec le fromage blanc au milieu.

■

SALADE DE CHOUX

Pour 4 personnes
la moitié d'un chou blanc
la moitié d'un chou rouge
200 g de fromage à pâte ferme (fribourg, port-salut)
4 filets d'anchois à l'huile
une échalote
vinaigre à l'échalote
huile d'olive vierge extra
une pincée de cumin en poudre
Tabasco
sel, poivre frais moulu

Lavez et émincez les choux. Coupez le fromage en tranches extrêmement fines et mélangez-le aux choux. Puis réchauffez 4 cuillerées de vinaigre dans une petite casserole, ajoutez-y l'échalote finement hachée et les anchois écrasés à la fourchette. Laissez fondre les anchois et cuire l'échalote à feu doux, ajoutez le cumin en poudre, quelques gouttes de Tabasco et, hors du feu, incorporez en filet 6 cuillerées d'huile tout en émulsionnant la sauce au fouet. Versez cette sauce chaude sur la salade et servez. Vous pouvez aussi, avant d'assaisonner, parsemer le plat de fromage râpé et le faire gratiner quelques instants sous le gril du four très chaud, puis le servir avec la sauce.

Salade de choux

SALADE DE THON ET DE MAQUEREAUX AUX ŒUFS

Pour 4 personnes

*200 g de salade nouvelle
(mâche, cresson ou autre)*

un fenouil

une boîte de thon à l'huile

une boîte de maquereaux à l'huile

4 œufs durs

150 g de mayonnaise

une tomate

une gousse d'ail pilée

*une cuillerée à café
de concentré de tomate*

une cuillerée à café de câpres au vinaigre

une cuillerée à café de pâte d'anchois

huile d'olive vierge extra

le jus d'un citron

poivre frais moulu

Pour l'assaisonnement : pelez la tomate après l'avoir ébouillantée, ôtez-en les pépins et coupez-la en dés. Travaillez ensemble la mayonnaise, la pâte d'anchois et le concentré de tomate. Ajoutez les morceaux de tomate, les câpres et l'ail, mélangez et poivrez. Lavez la salade et le fenouil ; essorez la salade et émincez le fenouil. Écalez les œufs et coupez-les en rondelles. Égouttez le thon et les maquereaux, disposez-les en morceaux dans les assiettes avec les œufs et la salade. Arrosez d'un filet d'huile et de jus de citron. Servez la sauce à part.

SALADE DE THON SAUCE PIQUANTE

Pour 4 personnes

un cœur de laitue

2 tomates

un poivron

300 g de thon à l'huile

*une cuillerée à soupe
de pâte d'olives noires*

quelques petits cornichons au vinaigre

4 filets d'anchois à l'huile

piment en poudre

origan

huile d'olive vierge extra

*vinaigre à la coriandre
et au piment*

sel, poivre frais moulu

Lavez et essorez la laitue. Déchirez-la à la main. Lavez les tomates, coupez-les en morceaux. Faites griller le poivron au four jusqu'à ce que la peau se détache facilement, ôtez-la, retirez les pépins et coupez-le en morceaux. Égouttez le thon et émiettez-le à la fourchette. Mélangez la pâte d'olives avec 2 pincées de piment, les anchois hachés, un peu de sel et une pincée de poivre. Ajoutez les cornichons hachés, 3 cuillerées de vinaigre et versez 7 cuillerées d'huile en filet tout en battant la sauce au fouet. Mélangez doucement tous les ingrédients dans un grand saladier avec l'assaisonnement, saupoudrez d'origan et servez.

Salade de thon et de maquereaux aux œufs

SALADE DE FROMAGES

Pour 4 personnes

*un pied de laitue ou de salade
à larges feuilles*

*400 g de différents fromages
(à pâte molle et à pâte ferme)*

*4 tranches de pain complet
ou de pain de mie*

une gousse d'ail

*huile d'olive vierge extra
aromatisée au thym*

vinaigre de xérès

2 cuillerées de xérès

sel, poivre frais moulu

Épluchez et lavez la salade, déchirez-la à la main. Découpez les fromages durs en petits dés et écrasez les mous à la fourchette. Faites griller les tranches de pain, frottez-les d'ail, mouillez-les d'un filet d'huile et coupez-les aussi en dés. Dans un bol, mélangez 2 cuillerées de vinaigre, 5 d'huile, du sel et du poivre. Réchauffez le xérès sur le feu, faites-le flamber et versez-le dans la vinaigrette. Disposez les fromages et la salade dans un plat, ajoutez les petits croûtons (maintenus chauds au four) et arrosez de sauce.

■

HARICOTS VERTS ET FLAGEOLETS EN SALADE

Pour 4 personnes

400 g de haricots verts surgelés

une boîte de flageolets verts

300 g de tomates fraîches

une cuillerée à café de moutarde

vinaigre de xérès

*huile d'olive vierge extra
aromatisée au laurier*

une cuillerée à soupe de jus de citron

sel, poivre frais moulu

Ébouillantez un instant les tomates, pelez-les et passez-les au mixer avec 6 cuillerées d'huile, 2 de vinaigre, le jus de citron, la moutarde, du sel et du poivre. Mettez le mélange au réfrigérateur. Entre-temps, faites cuire 10 minutes les haricots verts à l'eau bouillante salée, égouttez-les et coupez-les en morceaux. Ajoutez les flageolets passés sous l'eau courante et bien égouttés. Mélangez, assaisonnez d'une cuillerée de sauce et servez le restant à part dans une saucière.

■

SALADE DE SAUCISSES DE STRASBOURG A L'AIGRE-DOUX

Pour 4 personnes

4 grosses saucisses de Strasbourg

4 gros cornichons à l'aigre-doux

une laitue

quelques graines de coriandre

*une demi-cuillerée à café
de graines de fenouil*

une gousse d'ail

un poireau

une cuillerée à café de sucre de canne

vinaigre de cidre

huile d'olive vierge extra ou de maïs

sel, poivre frais moulu

Pelez les saucisses et coupez-les en rondelles. Coupez également en rondelles fines le poireau lavé et les cornichons. Mélangez le tout. Dans un mortier, pilez les graines de fenouil et de coriandre et l'ail épluché. Ajoutez le sucre. Diluez avec 3 cuillerées de vinaigre, 6 d'huile, du sel et du poivre. Versez un peu de sauce sur les saucisses et passez-les au four bien chaud pendant quelques minutes. Servez sur un lit de feuilles de laitue en arrosant avec le restant de sauce chaude.

SALADE CÉSAR

Pour 4 personnes

une laitue ou autre salade croquante

2 œufs durs

150 g de gruyère rapé

3 tranches de pain complet coupé en dés

un jaune d'œuf

une gousse d'ail pilée

2 cuillerées à soupe de jus de citron

4 filets d'anchois hachés

huile d'olive vierge extra

poivre frais moulu

É pluchez, lavez et esso-
rez la salade, déchirez-la à la main et mettez-la
dans un saladier avec les œufs durs coupés en rondelles et le fromage. Dans un bol, mélangez les
anchois avec l'ail, le jus de citron, un jaune d'œuf,
beaucoup de poivre et 4 cuillerées d'huile. Faites
frire les croûtons à la poêle. Quand ils sont bien
dorés, ajoutez-les à la salade, arrosez de sauce,
mélangez et servez.

BAGNA CAODA

Pour 4 personnes

2,5 dl d'huile de noix

50 g de beurre

100 g d'anchois au sel

6 gousses d'ail

*1 kg de légumes mélangés à manger crus
(poivrons, carottes, céleri,
radis, endives, etc.)*

poivre frais moulu

É pluchez l'ail et
hachez-le finement. Rincez les anchois à l'eau courante pour les dessaler, essuyez-les avec du papier
absorbant et hachez-les. Faites fondre le beurre
dans un poêlon pour y faire cuire l'ail jusqu'à ce
qu'il devienne transparent, puis ajoutez les anchois
et l'huile petit à petit. Laissez mijoter 20 minutes
en tournant de temps à autre avec une cuillère en
bois. Préparez en même temps les crudités : nettoyez les radis, découpez les poivrons en tranches,
les céleris et carottes en bâtonnets et les feuilles
d'endives en deux sans en ôter le cœur. Quand la
bagna caoda est prête, poivrez-la, apportez-la sur la
table, bien chaude, accompagnée des légumes à
tremper dedans.

■

SALADE MEXICAINE
AUX GAMBAS

Pour 4 personnes

300 g de macédoine de légumes surgelée

100 g de maïs surgelé

100 g de jeunes carottes surgelées

*300 g de gambas surgelées
(ou de bouquets)*

un cœur de frisée

200 g de mayonnaise

1 dl de crème fraîche

Salade mexicaine aux gambas

3 cuillerées à soupe de jus de citron

menthe fraîche ou séchée

huile d'olive vierge extra

une gousse d'ail hachée

sel

poivre de Jamaïque frais moulu

Faites cuire les légumes surgelés une dizaine de minutes à l'eau bouillante salée, puis égouttez-les. Mettez les gambas à bouillir pendant 5 minutes. Laissez refroidir, mélangez le tout dans un saladier et assaisonnez avec 2 cuillerées à soupe de jus de citron, 4 cuillerées d'huile, une de menthe hachée (ou une cuillerée à café de menthe séchée), l'ail haché, sel et poivre. Dans un bol à part, mélangez la mayonnaise avec une cuillerée de jus de citron, la crème et de la menthe à volonté. Ajoutez dans le saladier la frisée lavée et déchirée en petits morceaux. Remuez bien et servez avec la mayonnaise à la menthe à part.

S · A · L · A · D · E · S
ROMANTIQUES

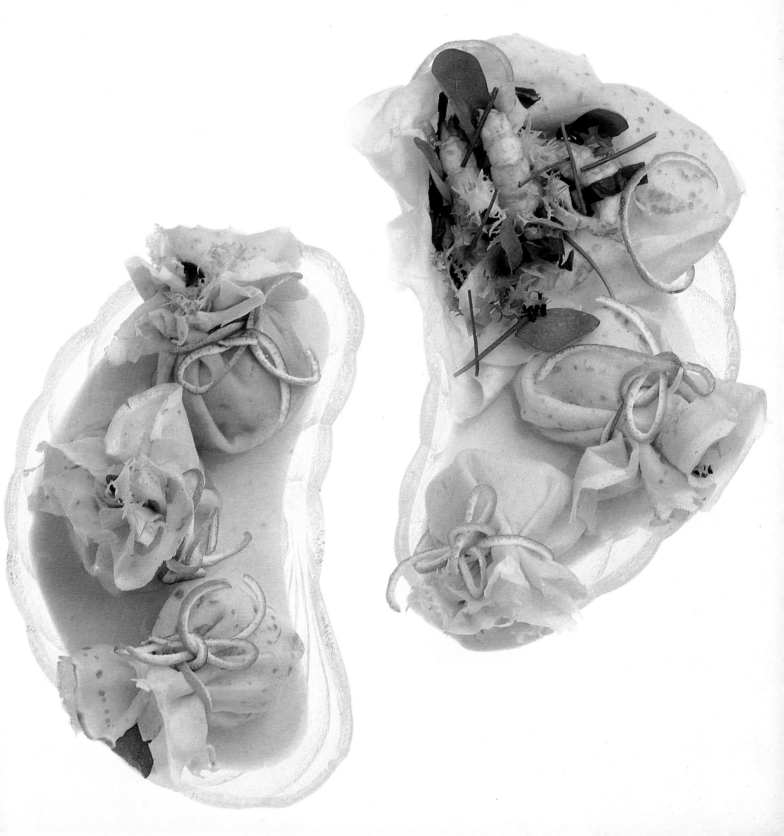

Vous êtes très émue, car c'est la première fois qu'il vient dîner... ou peut-être, ce soir, avez-vous envie de rompre la routine et de renouveler le menu. Ou bien, vous, Monsieur, vous souhaiteriez lui plaire en l'étonnant aussi à table et parer vos talents de cuisinier d'une note d'amour, de passion ou de franche affection. Pour la Saint-Valentin, faites-lui la surprise d'un mets particulièrement délicat et savoureusement romantique. Ces salades accompagneront votre plaisir et seront douces ou piquantes suivant votre personnalité et votre humeur ; garnies de fleurs ou parfumées à la rose, savourées à deux à la lueur des bougies, elles seront l'agréable prélude d'une soirée inoubliable.

■

Pages précédentes :
Pannequets aux langoustines

PANNEQUETS
AUX LANGOUSTINES

Pour 2 personnes
Pour les crêpes :
125 g de farine
2 œufs
1 dl de lait
une cuillerée d'huile de maïs
sel, sucre
une noix de beurre
Pour la garniture :
12 langoustines
100 g de mesclun (ou de salades variées)
une petite botte de ciboulette
un petit verre de vermouth sec
une échalote
1 dl de crème fraîche et 40 g de beurre
un citron vert
sel, poivre rose

Mélangez les œufs avec la farine et délayez peu à peu avec le lait. Ajoutez l'huile, une pincée de sel et une de sucre. Laissez reposer la pâte 30 minutes. Puis faites fondre une noix de beurre dans une poêle qui n'attache pas et versez-y, bien uniformément, 2 cuillerées de pâte. Quand la crêpe est légèrement dorée des deux côtés, laissez-la glisser dans une assiette. Procédez de même pour les trois autres. Lavez les petites salades et recoupez les feuilles les plus grosses. Découpez le zeste de citron en longues lanières, puis pressez le jus. Jetez les langoustines 5 minutes dans l'eau bouillante salée, égouttez-les et décortiquez-les. Mettez les morceaux de carapaces dans le mortier et réduisez-les en purée avec le beurre. Réchauffez le mélange dans une casserole, ajoutez l'échalote hachée, faites cuire à couvert pendant 5 minutes, salez, poivrez et incorporez la crème. Quand la sauce commence à prendre, allongez-la d'une cuillerée à soupe de jus de citron, ôtez-la du feu et passez-la au chinois. Maintenez-la chaude. Au milieu de chaque crêpe, posez un bouquet de salade et 3 langoustines, puis parsemez de ciboulette. Fermez en forme de sac avec un petit ruban de zeste de citron. Réchauffez 1 ou 2 minutes au four et servez avec la sauce chaude.

Salade au saumon fumé et au concombre

SALADE AU SAUMON FUMÉ ET AU CONCOMBRE

Pour 2 personnes

6 tranches de saumon fumé

un concombre

un cœur de frisée

un bouquet d'aneth

une cuillerée à café de sucre de canne

le jus d'un citron

huile d'olive vierge extra aromatisée à l'aneth

sel, poivre blanc

Pelez le concombre, coupez-le en rondelles fines, salez légèrement et laissez reposer 30 minutes sur un linge. Puis essuyez bien les rondelles et mélangez-les avec des petits morceaux de frisée préalablement lavée. Ajoutez deux tranches de saumon coupées en morceaux. Avec les tranches qui restent, formez deux roses. Versez dans un bocal une cuillerée à café de sucre, le jus de citron, 2 pincées de poivre blanc, du sel et 4 cuillerées à soupe d'huile. Fermez et secouez jusqu'à ce que le sucre se dissolve. Assaisonnez la salade. Servez-la dans deux coupelles que vous garnirez avec les roses de saumon accompagnées d'un brin d'aneth. Saupoudrez le restant d'aneth haché.

SALADE DE CÉLERI-RAVE

Pour 2 personnes

250 g de céleri-rave

une petite boîte de pousses de soja

2 œufs durs

un jaune d'œuf

une cuillerée à soupe de moutarde de Dijon

2 cuillerées à soupe de crème fraîche

1,5 dl d'huile

2 cuillerées à soupe de jus de citron

sel, poivre

Épluchez le céleri et râpez-le en allumettes. Jetez-le quelques secondes dans l'eau bouillante additionnée de jus de citron, égouttez-le et rafraîchissez-le sous l'eau courante. Mélangez dans un bol le jaune d'œuf avec la moutarde et une pincée de sel. Ajoutez l'huile en filet en montant la mayonnaise jusqu'à ce qu'elle devienne bien ferme et homogène. Allongez-la alors de crème et d'une cuillerée de jus de citron, salez, poivrez. Ajoutez au céleri une cuillerée de mayonnaise et mettez-le au frais. Coupez les œufs durs en tranches. Garnissez les bords de deux assiettes alternativement de rondelles d'œufs et de pousses de soja rincées et égouttées ; disposez au centre le céleri. Servez la mayonnaise à part.

Salade d'endives à la rose

SALADE D'ENDIVES A LA ROSE

Pour 2 personnes

3 endives

une rose

une petite grenade

vinaigre de vin blanc

huile d'olive vierge extra ou de maïs

sel, poivre blanc et poivre rose frais moulus

Coupez le pied des endives, lavez et essuyez les feuilles. Disposez-les sur les deux assiettes et parsemez-les de graines de grenade et de quelques pétales de rose. Saupoudrez d'une pincée de poivres mélangés. Mettez la pulpe de la grenade dans un linge fin que vous tordez au-dessus d'un bol pour en recueillir le jus. Salez, poivrez, ajoutez 2 cuillerées de vinaigre et 4 d'huile. Émulsionnez la vinaigrette au fouet et versez-la sur les endives au moment de servir.

∎

SALADE AUX QUATRE FROMAGES

Pour 2 personnes

un cœur de frisée

un fenouil

*60 g de parmesan ou de cantal fort,
coupé en tranches très fines*

50 g de provolone, d'appenzell ou de comté

60 g de camembert

60 g de tomme ou de fromage des Pyrénées

une cuillerée à soupe de graines de fenouil

2 rondelles d'oignon

2 cornichons

vinaigre de vin rouge

huile d'olive vierge extra

sel, poivre

Lavez bien la salade, déchirez-la en petits morceaux. Lavez et émincez le fenouil. Coupez tous les fromages en petits dés et mélangez le tout. Dans un mortier, pilez les graines de fenouil, ajoutez l'oignon et les cornichons hachés et constituez une pâte. Ajoutez progressivement 2 cuillerées de vinaigre, 4 d'huile, du sel et du poivre. Au moment de servir, arrosez la salade de sauce.

∎

SALADE DE RIS DE VEAU

Pour 2 personnes

200 g de ris de veau très frais

50 g de frisée

50 g de roquette ou de barbarée

Salade sauce piquante

une laitue de Vérone

vinaigre de vin rouge

huile de noix

une noix de beurre

sel, poivre

Lavez les ris de veau à l'eau courante. Plongez-les 2 minutes dans l'eau bouillante, égouttez-les et débarrassez-les des petites peaux et des nerfs. Épluchez et lavez les salades, déchirez les feuilles les plus grosses. Préparez une vinaigrette avec 2 cuillerées de vinaigre, 4 d'huile, du sel et du poivre. Assaisonnez la salade et répartissez-la dans les assiettes. Découpez les ris de veau en petits morceaux. Faites-les revenir 2 minutes à la poêle dans le beurre, salez, poivrez, déposez-les dans les assiettes et servez sans attendre.

■

SALADE SAUCE PIQUANTE

Pour 2 personnes

80 g de salade nouvelle (cresson, mâche)

6 radis

100 g de chou frisé

6 petits épis de maïs conservés au naturel

60 g de fromage à tartiner (genre demi-sel)

1 dl de crème fraîche

3 cuillerées à soupe de ketchup

sauce Worcester

une cuillerée à soupe de jus de citron

une cuillerée à soupe de paprika

Tabasco

sel

Lavez la salade, essorez-la ; nettoyez les radis et coupez-les en rondelles ainsi que le maïs. Émincez le chou. Mélangez le

tout et répartissez-le dans deux coupelles. Dans un bol, écrasez le fromage à la fourchette, mélangez-le à la crème et au ketchup, puis assaisonnez de jus de citron et de paprika. Ajoutez à volonté quelques gouttes de sauce Worcester et de Tabasco. Goûtez pour saler et servez dans une saucière, en accompagnement.

■

SALADE DE FILET DE BŒUF AUX HARICOTS

Pour 2 personnes

un cœur de laitue

150 g de haricots verts et de haricots beurre

200 g de bœuf dans le filet

une cuillerée à soupe de poivre vert conservé au naturel

2 œufs durs

1 dl à peine de crème fraîche

une cuillerée à soupe de persil haché

vinaigre de vin blanc au poivre vert

une cuillerée à soupe d'oignon haché

huile d'olive vierge extra

sel, poivre noir

Rincez, essorez la laitue et disposez les feuilles au fond des assiettes. Épluchez les haricots et blanchissez-les 10 minutes à l'eau bouillante salée. Coupez le bœuf en petits dés et laissez-le mariner au moins 1 heure dans 2 cuillerées d'huile et la moitié du poivre vert pilé. Pendant ce temps, passez les jaunes d'œufs au chinois et joignez-y 2 cuillerées de vinaigre et une d'huile. Incorporez petit à petit la crème. Quand la sauce est bien homogène, aromatisez-la avec le restant de poivre vert, le persil, l'oignon et une pincée de poivre noir. Mettez le bœuf dans un plat à rôtir sous le gril bien chaud du four. Quand il est rissolé mais encore saignant, disposez-le sur les feuilles de salade avec les haricots. Servez la sauce à part.

SALADE DE GINGEMBRE

Pour 2 personnes

un cœur de scarole (50 g)

300 g de carottes nouvelles

2 petites oranges

un morceau de gingembre frais

une cuillerée à soupe de persil haché

une cuillerée à soupe de jus d'orange

vinaigre aux fraises

huile d'olive vierge extra

sel, poivre

Grattez et lavez les carottes, puis coupez-les en bâtonnets. Faites-les cuire 10 minutes à la vapeur et laissez-les refroidir. Épluchez les oranges, coupez-les en tranches et ajoutez-les au carottes. Pelez et émincez le gingembre. Chauffez 3 cuillerées à soupe de vinaigre et faites-les réduire de moitié, puis ajoutez 2 pincées de sel, une de poivre, le jus d'orange et 4 cuillerées d'huile. Versez la vinaigrette sur les carottes et les oranges, ajoutez le gingembre et mélangez bien. Mettez 2 heures au réfrigérateur. Au moment de servir, ajoutez la salade lavée et essorée et parsemez de persil haché.

■

SALADE DE POMMES
DE TERRE AU CHAMPAGNE

Pour 2 personnes

300 g de pommes de terre nouvelles

200 g de queues de langoustine

ciboulette, persil, basilic, aneth, thym, estragon

champagne (ou mousseux) brut

vinaigre de champagne

huile d'olive vierge extra

une cuillerée à soupe d'amandes effilées

sel, poivre

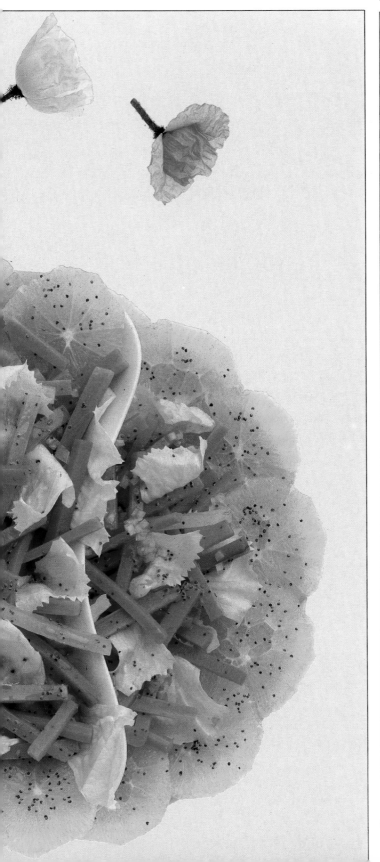

Brossez bien les pommes de terre sous l'eau courante. Plongez-les quelques minutes dans l'eau bouillante salée, égouttez-les et laissez-les refroidir. Puis mettez-les, coupées en tranches, sans les éplucher, dans un saladier. Faites cuire les langoustines 5 minutes à l'eau bouillante, égouttez-les et décortiquez-les. Ajoutez-les aux pommes de terre, salez, poivrez et arrosez le tout d'un bon petit verre de champagne et de 2 cuillerées de vinaigre de champagne. Mélangez avec les fines herbes préalablement hachées et laissez reposer au frais pendant quelques heures. Au moment de servir, arrosez d'huile et d'encore un peu de champagne, puis parsemez d'amandes.

■

SALADE DE FILETS DE SOLE SAUCE MALTAISE

Pour 2 personnes
2 beaux bulbes de fenouil
un cœur de frisée
2 filets de sole
100 g de beurre
2 jaunes d'œufs
une orange
une cuillerée à café de jus de citron
paprika en poudre
sel, poivre

Épluchez les fenouils et taillez-les dans le sens de la longueur. Lavez la salade et essorez-la. Saupoudrez les filets de sole d'une pincée de paprika et d'une de poivre, puis coupez-les en deux. Faites cuire les fenouils 15 minutes à la vapeur. Les 5 dernières minutes, vous ajouterez le poisson dans le panier du cuit-vapeur. Montez les jaunes d'œufs et 3 cuillerées à soupe de jus d'orange dans un récipient au bain-marie et incorporez progressivement le beurre fondu tout en continuant à émulsionner la sauce au fouet. Hors

Salade au gingembre

du feu, ajoutez le sel et le poivre et aromatisez la sauce avec une cuillerée à café de zeste d'orange râpé, le jus de citron et le paprika. Garnissez les assiettes de frisée, placez au milieu les fenouils et le poisson, nappez de sauce chaude et servez.

■

SALADE DE CÉLERI AUX NOIX

Pour 2 personnes

une petite chicorée

un cœur de céleri vert

100 g de yaourt

une cuillerée à soupe de jus de citron

2 cuillerées à soupe de noix hachées

huile d'olive vierge extra ou de maïs

sel, poivre

Lavez soigneusement la chicorée et, par poignées, hachez-la le plus finement possible. Répartissez-la dans les assiettes. Lavez le céleri sans écarter les feuilles et coupez-le en morceaux. Mélangez le yaourt avec le jus de citron et 2 cuillerées d'huile, salez, poivrez et ajoutez les noix. Arrosez le céleri de 2 cuillerées de sauce et placez-le au milieu des assiettes. Servez le restant de sauce à part.

■

SALADE DE POULET A L'AIGRE-DOUX

Pour 2 personnes

250 g de poulet cuit

un cœur de laitue

60 g de mâche (ou de cresson)

100 g d'ananas frais

une cuillerée à soupe de sucre de canne

vinaigre

poivre de Cayenne

poivre noir frais moulu

sel aromatisé à l'ail

Lavez la mâche et la laitue, essorez-les et disposez-les dans deux coupelles. Au milieu, mettez des petits morceaux de poulet. Hachez très finement l'ananas, recueillez 2 cuillerées à soupe de jus et faites-les chauffer dans une casserole. Joignez-y le sucre et délayez bien, puis ajoutez une cuillerée à soupe de vinaigre, l'ananas haché, le sel aromatisé, les deux poivres. Mélangez bien et laissez tiédir avant de verser sur la salade.

■

BOUQUETS D'ŒUFS DE CAILLE A LA PISTACHE

Pour 2 personnes

150 g de feuille-de-chêne rouge

10 œufs de caille

une cuillerée à soupe de pistaches décortiquées

une tomate

un petit bouquet de cerfeuil

une cuillerée à soupe de poivre vert

vinaigre au poivre vert

huile d'olive vierge extra

sel

Épluchez et lavez la salade. Coupez la tomate en demi-tranches fines. Mettez les œufs de caille dans une casserole d'eau bouillante et faites chauffer. Dès les premiers bouillons, sortez les œufs et passez-les sous l'eau froide. Écalez-les et coupez-les en deux. Pelez les pistaches après les avoir échaudées 1 minute dans l'eau bouillante. Mélangez une cuillerée et demie de vinaigre avec 3 cuillerées d'huile, du cerfeuil et le poivre vert hachés, puis salez. Disposez dans les assiettes les œufs, la tomate et la salade joliment mélangés. Arrosez de vinaigrette, saupoudrez de pistache hachée et parsemez de brins de cerfeuil.

Bouquets d'œufs de caille à la pistache

S · A · L · A · D · E · S
VÉGÉTARIENNES

VÉGÉTARIENNES

La cuisine végétarienne, selon un régime plus ou moins rigoureux, séduit aujourd'hui de plus en plus de personnes de tous âges et dans tous les milieux. Il nous a donc paru opportun, dans un ouvrage consacré aux salades, de suggérer quelques variations sur des recettes tout à fait traditionnelles en Orient mais plus méconnues en Occident. Être végétarien ne signifie absolument pas se nourrir uniquement de fruits et de légumes. Pour que l'alimentation reste équilibrée, il convient de prévoir au menu un certain nombre de protéines végétales dont les crudités et les légumes verts sont dépourvus. Les aliments les mieux indiqués pour remplacer la viande sont les céréales et les légumes secs. C'est pourquoi on a réuni dans ce chapitre la plupart des salades à base de fèves, pois chiches, boulghour (ou pilpil), riz complet, orge, lentilles, tofou (pâte de soja), ingrédients souvent dévalorisés ou ignorés dans la gastronomie occidentale. Ce sont pourtant des aliments très anciens. Présentés différemment et enrichis d'ingrédients choisis, ils mettront en appétit les « carnivores » les plus inflexibles !

■

Pages précédentes :
Salade de boulghour aux algues

SALADE DE BOULGHOUR AUX ALGUES

Pour 4 personnes

120 g de boulghour (blé concassé)

*100 g de pois chiches mis à tremper
la veille au soir*

20 g d'algues séchées

huile d'olive vierge extra

sauce de soja

sel, poivre frais moulu

Rincez le boulghour
(précuit à la vapeur) à l'eau courante et faites-le
cuire à l'eau bouillante salée pendant 30 minutes.
Égouttez-le. Faites également cuire les pois chiches
à l'eau légèrement salée pendant 3 heures environ
(jusqu'à ce qu'ils deviennent tendres). Mettez les
algues 5 minutes à tremper, égouttez-les, taillez-les
en lanières et plongez-les 5 minutes dans l'eau
bouillante. Chauffez 3 cuillerées d'huile dans une
grande poêle et faites revenir quelques minutes les
pois chiches et les algues. Mélangez avec le boulghour, assaisonnez de sauce de soja, poivrez et
servez.

■

SALADE DE PRINTEMPS A L'ORGE

Pour 4 personnes

200 g d'orge perlé

50 g de pousses de soja

une petite carotte

un pied de chicorée trévise

quelques feuilles de frisée

quelques feuilles de scarole

quelques branchettes de fenouil

olives vertes et noires

une demi-gousse d'ail

huile d'olive vierge extra

Salade de printemps à l'orge

le jus d'un citron

sel, poivre de Jamaïque frais moulu

Rincez plusieurs fois l'orge à l'eau courante pour en éliminer tout l'amidon. Mettez-le dans une casserole d'eau froide, portez à ébullition et laissez cuire environ 1 h 30. A peine égoutté, il doit être rincé. Entre-temps, vous aurez épluché, lavé et haché les salades, gratté et râpé la carotte, dénoyauté quelques olives, hachées ensuite avec le fenouil. Mélangez dans un saladier orge, salades, carotte, pousses de soja et fenouil, garnissez de quelques olives noires. Dans un bol, mélangez le jus de citron avec 6 cuillerées d'huile, l'ail écrasé, du sel et beaucoup de poivre moulu au dernier moment. Assaisonnez la salade et laissez reposer une bonne demi-heure avant de servir.

■

SALADE AUX FLOCONS DE CÉRÉALES

Pour 4 personnes

2 pieds de chicorée

une carotte

une courgette

5 radis

3 cuillerées à soupe de flocons de riz

3 cuillerées à soupe de flocons d'avoine

2 cuillerées à café de moutarde

3 cuillerées à soupe de yaourt

huile d'olive vierge extra

le jus d'un citron

sel, poivre frais moulu

Dans un petit saladier, mélangez la moutarde avec le jus de citron et le yaourt, salez, poivrez et ajoutez un demi-verre d'huile en battant la sauce au fouet. Incorporez en dernier les radis nettoyés et hachés. Plongez les flocons de céréales 5 minutes dans l'eau bouillante, égouttez-les, versez 2 cuillerées de sauce, mélangez et laissez reposer 20 minutes. Épluchez la courgette et la carotte et coupez-les en bâtonnets. Émincez finement la chicorée et faites-la tremper dans l'eau froide, puis égouttez-la et essorez-la avec un linge. Remplissez les assiettes de légumes et de flocons de céréales, arrosez de quelques cuillerées de sauce et servez le restant à part.

■

SALADE DE RIZ AUX CHAMPIGNONS

Pour 4 personnes

200 g de riz complet précuit

500 g de champignons de Paris

une cuillerée à soupe de sucre de canne

une cuillerée à café de grains de coriandre

2 grains de genièvre

une pincée de cannelle en poudre

une feuille de laurier

une cuillerée à café de concentré de tomate

une pincée de poivre de Cayenne

2 cuillerées d'oignon haché

vinaigre de vin rouge

huile d'olive vierge extra

sel, poivre frais moulu

Enlevez tout d'abord la partie terreuse du pied des champignons, rincez-les et coupez-les en tranches. Plongez-les 2 minutes dans l'eau bouillante salée et égouttez-les. Faites chauffer dans une poêle 6 cuillerées d'huile avec le laurier, mettez-y l'oignon et laissez-le fondre doucement. Ajoutez le sucre, la cannelle, le cayenne, le genièvre et la coriandre moulus ainsi que le concentré de tomate. Laissez revenir 1 minute. Ajoutez 4 cuillerées à soupe de vinaigre et les champignons et laissez cuire 5 minutes, puis laissez refroidir. Faites cuire le riz 30 minutes à l'eau bouillante salée. Égouttez-le et assaisonnez-le avec les champignons en sauce. Mélangez bien, poivrez, si nécessaire ajoutez un peu d'huile, et gardez au réfrigérateur 2 heures avant de servir.

Salade aux flocons de céréales

SOJA EN SALADE

Pour 4 personnes

250 g de graines de soja

*un gros bouquet de fines herbes
(cerfeuil, menthe, estragon, persil,
ciboulette, marjolaine, etc.)*

2 gousses d'ail

3 tomates

vinaigre de vin blanc

huile d'olive vierge extra

sel, poivre

Laissez tremper toute une nuit les graines de soja, puis égouttez-les et faites-les cuire à l'eau bouillante non salée pendant 1 h 30 - 2 heures. Égouttez-les et laissez refroidir. Pendant ce temps, ébouillantez 1 minute les tomates, pelez-les, éliminez l'eau, ôtez les pépins et écrasez la pulpe à la fourchette. Assaisonnez de sel, de poivre, de 3 cuillerées de vinaigre et de 8 d'huile. Ajoutez les fines herbes hachées, les gousses d'ail entières et laissez reposer durant le temps de cuisson du soja. A la fin, mélangez le soja à la sauce tomate et servez.

■

HARICOTS AUX FINES HERBES

Pour 4 personnes

*200 g de haricots cornilles
(mis à tremper la veille au soir)*

un poireau

un bouquet de basilic

quelques brins de romarin

2 feuilles de laurier

huile d'olive vierge extra

vinaigre à l'ail

sel, poivre noir frais moulu

Rincez les haricots et mettez-les dans une casserole. Couvrez d'eau et ajoutez un peu de sel, le laurier et 2 brins de romarin. Portez à ébullition et laissez cuire à feu très doux pendant 1 h 30. Entre-temps, épluchez le poireau, émincez-le et mettez-le à tremper dans l'eau froide pendant 1 heure en renouvelant l'eau de temps à autre. Épluchez le basilic et le romarin, émincez le premier, hachez le second. Dès que les haricots sont tendres, égouttez-les, assaisonnez-les encore chauds avec les herbes, le poireau, 3 cuillerées de vinaigre et 6 d'huile, puis poivrez abondamment et servez chaud ou froid.

■

SALADE PANACHÉE, RIZ ET LENTILLES

Pour 4 personnes

un pied de frisée

*100 g de riz indien Basmati
(grain long)*

*2 cuillerées à soupe de riz sauvage
(non traité)*

150 g de lentilles déjà cuites

une carotte cuite

une tomate

un bouquet de basilic

un bouquet de persil

quelques brins de ciboulette

une demi-gousse d'ail

bouillon de légumes

vinaigre de cidre

huile d'olive vierge extra

sel, poivre frais moulu

Faites cuire, à couvert, les deux types de riz avec 2 tasses de bouillon jusqu'à absorption totale du liquide. Puis étalez le riz sur un plat et laissez refroidir. Mélangez les lentilles avec la tomate et la carotte coupées en petit dés. Épluchez et hachez finement les herbes, pilez

Haricots aux fines herbes

l'ail et ajoutez le tout au riz. Assaisonnez de 2 cuillerées de vinaigre de cidre, d'huile d'olive, de sel et de poivre. Lavez, essorez la salade, déchirez-en la moitié en petits morceaux que vous ajouterez au mélange et garnissez le fond du plat avec le restant. Couvrez avec le riz et les lentilles et servez.

■

SALADE AU PAIN

Pour 4 personnes

250 g de pain rassis

une poignée de feuilles de basilic

un petit oignon

2 tomates

vinaigre de vin rouge

huile d'olive vierge extra

sel, poivre frais moulu

Mettez le pain à gonfler dans un grand bol d'eau, puis égouttez-le le mieux possible. Ajoutez les tomates et l'oignon coupés en petits morceaux, des feuilles de basilic déchirées à la main, du sel et du poivre. Laissez reposer pendant 2 ou 3 heures. Au moment de servir, arrosez de 4 cuillerées de vinaigre et de beaucoup d'huile. Mélangez délicatement et parsemez de basilic frais.

■

COUSCOUS EN SALADE

Pour 4 personnes

250 g de couscous précuit

un quart de poivron jaune

un quart de poivron rouge

une petite aubergine

une courgette

une cuillerée à café de grains de cumin

une cuillerée à café de curcuma en poudre

une cuillerée à café de piment en poudre

2 gousses d'ail non épluchées

huile d'olive vierge extra

sel, poivre frais moulu

Faites bouillir 3 décilitres d'eau salée, ajoutez le curcuma et une cuillerée d'huile et jetez-y le couscous. Éteignez le feu et couvrez pendant 5 minutes. Puis versez le couscous égoutté sur un plateau et étalez-le à la fourchette. Épluchez, lavez les légumes et coupez-les en dés. Chauffez 4 cuillerées d'huile dans une poêle, ajoutez l'ail et les grains de cumin et faites sauter les légumes une dizaine de minutes. Salez, poivrez. Versez sur le couscous, mélangez bien et saupoudrez de piment.

∎

TABOULÉ

Pour 4 personnes

200 g de boulghour

4 ciboules

un bouquet de persil

un petit bouquet de menthe

4 tomates olivettes

4 cuillerées à soupe de jus de citron

huile d'olive vierge extra

sel, poivre

Mettez le boulghour à tremper 20 minutes dans l'eau froide, égouttez-le et essorez-le dans un linge pour le sécher le mieux possible. Lavez et essorez les brins de persil épluché. Émincez les ciboules, partie verte comprise. Hachez finement la menthe. Mélangez le tout dans un saladier, ajoutez les tomates coupées en petits morceaux, assaisonnez d'huile d'olive, de jus de citron, de sel et de poivre. Gardez au réfrigérateur jusqu'au moment de servir.

Couscous en salade

PETITS PAINS GARNIS

Pour 4 personnes

4 petits pains au lait

4 œufs durs

un cœur de laitue

un botte de cresson

une ciboule

4 cuillerées à soupe de yaourt

3 cuillerées à soupe de mayonnaise

2 cuillerées à soupe de noisettes grillées

sel, poivre

Écalez les œufs durs, écrasez-les à la fourchette et formez une pâte avec la mayonnaise liée au yaourt. Ajoutez les noisettes hachées, la ciboule émincée, le cresson épluché, lavé et haché grossièrement. Salez, poivrez. Entrouvrez les petits pains, garnissez-les de quelques feuilles de laitue préalablement lavées et essorées et remplissez-les de mélange à l'œuf. Servez en guise de sandwich, comme un petit en-cas gourmand.

■

SALADE DE TOFOU AU CRESSON

Pour 4 personnes

une belle botte de cresson

une dizaine de mandarines chinoises
(kumquats)

250 g de tofou (pâte de soja)

une cuillerée à soupe
de grains de sésame

une cuillerée à soupe
de tahin (pâte de sésame)

2 cuillerées à soupe de vinaigre de riz

2 cuillerées à soupe de xérès

4 cuillerées à soupe
d'huile de sésame ou de soja

une gousse d'ail hachée

une cuillerée à soupe de sauce de soja

Débarrassez le cresson des tiges les plus grosses, lavez-le et essorez-le délicatement dans un linge. Lavez les kumquats, essuyez-les et coupez-les en rondelles. Coupez le tofou en gros dés. Disposez ces ingrédients dans les assiettes et saupoudrez de grains de sésame. Mélangez dans un bol : tahin, vinaigre, xérès, sauce de soja, ail et huile. Goûtez la sauce avant de saler et servez-la à part dans une saucière. Si vous préférez un plat moins piquant, assaisonnez uniquement avec de la sauce de soja, de l'huile et du vinaigre.

■

SALADE DE RIZ A LA BARBE-DE-CAPUCIN

Pour 4 personnes

120 g de riz sauvage (non traité)

600 g de barbe-de-capucin (ou de chicorée)

3 cuillerées à soupe de jus de citron

50 g de beurre

sel, poivre frais moulu

Mettez le riz à tremper dans l'eau froide pendant 1 heure. Puis égouttez-le et faites-le cuire à l'eau bouillante salée (un quart de litre environ), à couvert, jusqu'à absorption totale du liquide. Étalez-le sur la plaque du four et maintenez au chaud. Entre-temps, vous aurez épluché les barbes-de-capucin débarrassées de leurs pieds et vous les aurez lavées à plusieurs eaux pour éliminer tout résidu terreux. Plongez-les 10 minutes dans l'eau bouillante puis mélangez-les au riz. Faites fondre le beurre dans une casserole. Quand il commence à blondir, ajoutez le jus de citron en remuant au fouet, salez, poivrez et versez sur la salade. Servez sans attendre.

Salade de tofou au cresson

S·A·L·A·D·E·S
RUSTIQUES

N'oublions pas que la cuisine est aussi un jeu, un amusement, un délassement et qu'elle peut prolonger agréablement le passe-temps auquel vous vous adonnez durant vos loisirs. Êtes-vous de ceux qui se détendent volontiers au bord d'une rivière, canne à pêche à la main, en attendant qu'une truite complaisante vienne mordre à l'hameçon ? Peut-être appréciez-vous la chasse et ne savez-vous pas toujours que faire du gibier ? Ou bien aimez-vous tout simplement jardiner au printemps au milieu des fleurs et des fruits ? Toutes ces distractions peuvent donner lieu à un bon repas à savourer le soir avec vos amis, comme dans une sorte de retour aux sources, à l'époque où l'homme, chasseur ou cultivateur, se nourrissait de ce que lui procurait l'environnement immédiat. Il y a encore beaucoup de recettes à inventer et à déguster le soir au coin du feu !

■

Pages précédentes :
Salade du potager

Salade du chasseur

SALADE DU POTAGER

Pour 2 personnes

un pied de trévise

200 g de petites salades
cueillies sur place

6 choux de Bruxelles

100 g de pois gourmands
ou pois mange-tout

une carotte

8 petites courgettes très jeunes

8 fleurs de courgettes

une tomate

2 branchettes de céleri

une cuillerée à soupe
de moutarde de Meaux

vinaigre de xérès

huile d'olive vierge extra

sel, poivre

Lavez les salades, les
courgettes, la tomate ; grattez la carotte, épluchez
les pois (seulement les queues) et retirez les feuilles
externes des choux de Bruxelles. Faites bouillir une
casserole d'eau salée et plongez-y 1 minute les pois,
10 minutes la carotte et les choux de Bruxelles.
Disposez sur un plat les salades déchirées à la main,
les petites courgettes entières, les choux coupés en
deux, la tomate en morceaux, les pois, la carotte en
rondelles et les fleurs de courgettes coupées en
deux. Lavez le céleri, hachez-le au couteau et
mélangez-le avec la moutarde, 3 cuillerées de vinaigre, 7 d'huile, du sel et du poivre. Ne versez la
vinaigrette qu'au moment de servir pour ne pas
abîmer la salade.

■

SALADE DU CHASSEUR

Pour 4 personnes

un blanc de canard

2 cœurs de trévise bien pommés

un bouquet de jeunes pousses
de catalogne (ou de chicorée)

2 petits verres de madère

50 g de beurre

2 cuillerées à soupe de vinaigre de vin rouge

une cuillerée à café de genièvre en poudre

sel, poivre frais moulu

Épluchez et lavez la trévise en séparant les feuilles. Détachez toutes les pousses de catalogne, ne gardez que les feuilles les plus tendres et laissez-les tremper 1 heure dans l'eau froide avant de les essorer. Puis, disposez les salades sur un grand plat ovale. Partagez le blanc de canard en deux morceaux que vous frotterez soigneusement d'une pincée de genièvre, d'un peu de sel et de beaucoup de poivre. Faites fondre 20 grammes de beurre dans une poêle pour les faire revenir des deux côtés. Puis retirez le gras de cuisson et remettez 30 grammes de beurre frais. Arrosez la viande de vinaigre et de madère et laissez-la cuire de 5 à 10 minutes selon l'épaisseur du morceau. La chair doit rester rose à l'intérieur et la peau devenir bien dorée et croustillante. Salez et ôtez du feu. Laissez reposer 1 minute avant de couper en tranches que vous disposerez légèrement décalées les unes par rapport aux autres sur la salade. Arrosez du jus de cuisson préalablement filtré, saupoudrez d'un peu de genièvre et servez encore chaud.

■

SALADE DU JARDINIER

Pour 4 personnes

une petite laitue

une petite frisée

quelques feuilles tendres de violettes

un bouquet de violettes fraîchement cueillies

une dizaine de feuilles d'oseille

vinaigre aux mûres

huile d'olive vierge extra ou de maïs

sel, poivre blanc moulu au dernier moment

Épluchez et lavez les salades et l'oseille, déchirez-les à la main, ajoutez quelques feuilles de violettes et disposez le tout dans les assiettes. Garnissez avec les fleurs dépouillées de leurs tiges. Dans un bol, mélangez au fouet 3 cuillerées de vinaigre aux mûres, 2 pincées de sel et 6 cuillerées d'huile. Arrosez la salade de vinaigrette, poivrez très légèrement et servez sans attendre.

■

SALADE DE FÈVES A LA SARRIETTE

Pour 4 personnes

2 kg de fèves très fraîches

un petit bouquet de sarriette

2 ciboules hachées

huile d'olive vierge extra

sel, poivre gris moulu au dernier moment

Écossez les fèves et, si elles ne sont pas assez tendres, ôtez la petite peau extérieure de chacune. Plongez-les de 5 à 10 minutes dans de l'eau bouillante salée avec la moitié de la sarriette. Dès qu'elles sont cuites, égouttez-les et assaisonnez-les avec les ciboules et une cuillerée de sarriette hachée. Ajoutez généreusement huile et poivre. Servez chaud.

■

SALADE BLANCHE

Pour 4 personnes

un petit chou-fleur

un cœur de scarole

200 g de comté

une échalote

100 g de mayonnaise

100 g de yaourt

50 g de roquefort doux ou de gorgonzola

sel, poivre

Découpez le chou-fleur en branchettes, lavez-les, essuyez-les et coupez-les en tout petits morceaux. Découpez le comté en dés. Lavez et essorez la salade et émincez-la. Écrasez le roquefort à la fourchette et mélangez-le bien avec le yaourt pour obtenir une crème homogène. Ajoutez la mayonnaise et l'échalote hachée, poivrez et salez si nécessaire. Mélangez le tout dans un saladier et servez avec la sauce à part.

■

SALADE DU PÊCHEUR

Pour 4 personnes

*2 petites truites fumées,
entières ou en filets*

*200 g de mesclun
ou de salades nouvelles mélangées
(mâche, roquette, feuille-de-chêne)*

un fenouil

un citron vert

*150 g de crème fleurette
additionnée de quelques gouttes
de jus de citron*

2 cuillerées à soupe de mayonnaise

un petit bouquet d'aneth

sel, poivre

Prenez les truites, coupez-en la tête et la queue et retirez-en délicatement la peau et l'arête centrale pour obtenir 4 filets entiers. Épluchez et lavez la salade. Lavez et émincez le fenouil. Disposez le tout dans les assiettes avec çà et là quelques rondelles fines de citron et des brins d'aneth. Au milieu, placez un filet de truite assaisonné d'un peu de poivre moulu au dernier moment et de quelques gouttes de jus de citron vert. Mélangez dans un bol la mayonnaise avec la crème acidulée, 2 cuillerées d'aneth haché, du sel et du poivre. Servez la sauce en accompagnement. L'idéal serait de disposer de truites fraîchement pêchées et fumées sur place. L'opération n'est pas compliquée si l'on dispose d'un petit réchaud de plein air et ne requiert qu'une trentaine de minutes pour un poisson de petite taille.

SALADE SAUVAGE

Pour 4 personnes

un petit bouquet de roquette sauvage

150 g de salades diverses

un bouquet de feuilles de pissenlit

10 fleurs de marguerites-des-prés

8 tomates-cerises

vinaigre de vin doux

huile de maïs ou d'olive vierge extra

sel, poivre

Lavez les salades, si possible fraîchement cueillies, essorez-les bien et mélangez-les dans un saladier avec les tomates-cerises coupées en deux et les fleurs de marguerites cueillies sur place. Pour conserver toute leur fraîcheur aux différents parfums, n'assaisonnez que de quelques gouttes de vinaigre, d'huile, de sel et de poivre.

■

BOUQUET FLEURI

Pour 4 personnes

un bouquet de pourpier sauvage

100 g de cresson

8 fleurs de capucine

8 violettes

une rose

un brin de lavande

quelques brins de ciboulette

quelques feuilles de marjolaine fraîche

quelques feuilles de basilic

vinaigre de vin rouge

huile de noix

sel, poivre blanc frais moulu

Salade du pêcheur

Salade de rivière

Retirez les tiges des feuilles de pourpier et de cresson, mélangez les feuilles dans un saladier avec les violettes, les fleurs de capucine et quelques pétales de rose. Parsemez la salade de ciboulette, de marjolaine et de basilic découpés aux ciseaux. Dans un bol, mélangez 2 cuillerées de vinaigre, 6 d'huile de noix, du sel, du poivre blanc et les fleurs de lavande. Laissez reposer 20 minutes et n'assaisonnez la salade qu'au moment de servir.

■

SALADE DE RIVIÈRE

Pour 4 personnes
40 écrevisses
2 carottes
4 branchettes de céleri
6 ciboules
150 g de haricots verts
2 bottes de radis
1 l de vin blanc
une feuille de laurier
un clou de girofle
6 grains de poivre
200 g de mayonnaise
2 cuillerées à soupe de crème fraîche
2 cuillerées à soupe de jus de cédrat (ou de citron)
une poignée de feuilles de céleri
une cuillerée à soupe de persil haché
une gousse d'ail
sel, poivre

Lavez bien tous les légumes, coupez le céleri et les carottes en bâtonnets, les ciboules en quatre. Faites chauffer un demi-litre d'eau avec le vin blanc, le laurier, le clou de girofle, le poivre en grains et un peu de sel. Quand le liquide commence à bouillir, plongez-y toutes les crudités excepté les radis. Égouttez-les

encore croquantes et disposez-les dans les assiettes ainsi que les radis. Lavez bien les écrevisses, faites-les cuire 5 minutes au court-bouillon, égouttez-les et mettez-les dans les assiettes. Faites ensuite réduire sur le feu, à la valeur de 2 cuillerées, une louche de bouillon. Incorporez-le à la mayonnaise avec la crème, le persil, les feuilles de céleri hachées, le jus d'ail pilé et le cédrat pressé. Servez la sauce dans 4 coupelles de manière que chacun puisse y tremper les légumes et crustacés comme pour une fondue.

■

SALADE AUX BEIGNETS DE BOURRACHE

Pour 4 personnes
Pour la salade :
200 g de mesclun ou de salades variées
20 feuilles de bourrache
une cuillerée de fleurs de bourrache fraîche
un jus de citron
huile d'olive vierge extra
huile à frire
une demi-cuillerée à café de noix muscade en poudre
sel, poivre
Pour la pâte à frire :
125 g de farine
2 œufs
2 dl d'eau ou de lait
huile de maïs
sel

Lavez les petites salades et répartissez-les dans les assiettes. Ne lavez la bourrache que si c'est nécessaire et, dans ce cas, essuyez-la délicatement entre deux linges. Dans une terrine, mélangez la farine, une pincée de sel, 2 cuillerées d'huile et 2 jaunes d'œufs, ajoutez l'eau et travaillez la pâte au fouet pour qu'il ne se forme pas de grumeaux. Laissez reposer 1 heure et, avant de l'utiliser, incorporez un blanc d'œuf monté en neige bien ferme. Passez les feuilles de bourrache dans la pâte et faites-les frire dans une casserole d'huile bouillante. Vous les ajouterez dans les assiettes après avoir arrosé la salade d'une vinaigrette préparée avec le jus de citron, 4 cuillerées d'huile d'olive, du sel, du poivre et de la noix muscade. Décorez les plats avec les fleurs de bourrache et servez sans attendre.

■

SALADE DE TOMATES PARFUMÉE

Pour 4 personnes

6 grosses tomates bien fermes

une gousse d'ail

un petit bouquet de basilic

une petite botte de ciboulette

2 cuillerées à soupe de pignes de pin

vinaigre de vin rouge

huile d'olive vierge extra

gros sel, poivre

Lavez les fines herbes et pilez-les dans le mortier avec la gousse d'ail et quelques grains de gros sel. Ajoutez progressivement 7 cuillerées d'huile d'olive. Quand le mélange est bien crémeux et homogène, poivrez et ajoutez 2 cuillerées à soupe de vinaigre. Faites griller les pignes sous le gril du four. Disposez sur un plat les tomates lavées et coupées en tranches égales, couvrez de sauce aux herbes et parsemez de pignes grillées.

■

SALADE DES BOIS

Pour 4 personnes

4 petits artichauts poivrade (ou 2 violets)

200 g de mâche ou de cresson (salade nouvelle)

6-8 champignons de Paris très frais

quelques brins de thym

huile

le jus d'un citron

200 g de lard maigre

vinaigre de vin rouge

sel, poivre

Préparez les artichauts en enlevant les feuilles les plus dures, les pointes et le foin, coupez-les en tranches fines et lavez-les dans de l'eau additionnée de jus de citron. Épluchez et lavez la salade et les champignons. Coupez ces derniers en tranches pas trop fines. Découpez le lard en petits dés et faites-le revenir à la poêle. Retirez le gras fondu et ajoutez 4 cuillerées d'huile et les brins de thym. Quand le lard est bien doré, arrosez de 3 cuillerées à soupe de vinaigre, ôtez du feu et versez avec le jus sur la salade. Servez sans attendre.

■

SALADE DE COURGETTES A LA MENTHE

Pour 4 personnes

2 pieds de chicorée rouge

3 petites courgettes

une cuillerée à soupe bien pleine de sucre roux

vinaigre de vin rouge

huile d'olive vierge extra

un petit bouquet de menthe fraîche

sel

Lavez la chicorée, déchirez à la main les plus grandes feuilles et gardez les cœurs entiers. Épluchez les courgettes et coupez-les en rondelles fines. Faites-les frire à la poêle dans beaucoup d'huile, par petites quantités. Dès qu'elles sont bien dorées, égouttez-les sur du papier absorbant. Quand toutes les courgettes sont frites, mettez-les dans un saladier avec la chicorée et parfumez de feuilles de menthe coupées aux ciseaux. Faites chauffer le sucre dans une casserole. Dès qu'il commence à caraméliser, allongez de 4 cuillerées de vinaigre. Otez du feu et ajoutez quelques cuillerées d'huile de friture des courgettes. Assaisonnez la salade avec la sauce aigre-douce et gardez au frais jusqu'au moment de servir.

S · A · L · A · D · E · S

EXOTIQUES

L

a gastronomie occidentale est extrêmement riche et variée. La cuisine française, notamment, est l'une des plus reconnues et appréciées dans le monde. Mais il serait dommage que cette certitude nous prive de ce que de lointaines traditions ont à offrir de meilleur dès lors que nous sommes à la recherche de saveurs nouvelles. On peut tout à fait adopter intégralement certaines recettes ou bien n'en retenir que quelques éléments qui enrichiront les plats habituels d'un parfum d'exotisme. Les épices ont à elles seules le pouvoir de nous transporter dans ces pays ensoleillés, pleins d'une musique enivrante et de parfums chargés d'histoire. Le curcuma, le cumin, le chili, le curry ont gardé la couleur de la terre dont ils proviennent. Une pincée suffit à provoquer souvenirs et sensations inédites. Parmi les recettes proposées ici, certaines sont typiques, d'autres imaginées, mais toutes ont de quoi vous surprendre ainsi que vos invités.

■

Pages précédentes :
Salade de riz aux fruits

SALADE DE RIZ AUX FRUITS

Pour 4 personnes

250 g de riz thaïlandais parfumé ou Basmati

une carambole (fruit exotique)

une mangue

une petite papaye

4 tranches d'ananas frais

50 g de raisins secs

50 g d'amandes effilées

le jus de 2 citrons

huile de noix

genièvre

sel, poivre rose frais moulu

R

incez le riz à l'eau courante, essuyez-le et faites-le cuire « al dente » dans l'eau bouillante salée. Égouttez-le et laissez-le refroidir. Pelez les fruits et coupez-les en dés ou en tranches. Faites dorer les amandes sous le gril du four et mélangez le tout dans un plat. Dans un bol, mélangez le jus de citron avec 3 cuillerées d'huile, 2 pincées de sel, et beaucoup de genièvre et de poivre rose moulu. Versez l'assaisonnement sur le riz et gardez au frais pendant 1 heure en remuant de temps en temps avant de servir.

■

TACOS A LA VIANDE

Pour 4 personnes

8 tacos déjà prêts (à défaut, 8 crêpes)

200 g de viande de bœuf hachée

3 grosses tomates à jus

une tomate bien ferme

un oignon haché

une gousse d'ail hachée

2 petits piments forts

Tacos à la viande

un quart de poivron jaune

quelques feuilles de laitue

une pincée de sucre

huile d'olive vierge extra

une cuillerée à soupe de coriandre fraîche hachée

sel, poivre frais moulu

Chauffez 3 cuillerées d'huile dans une poêle et faites frire l'ail et l'oignon puis ajoutez la viande. Quand celle-ci est bien rissolée, ajoutez les tomates à jus préalablement passées au chinois, le sucre et les piments débarrassés des pépins et hachés. Cuisez le tout à feu vif pendant 10 minutes, salez, poivrez, saupoudrez de coriandre et maintenez au chaud. Lavez et essorez la salade, émincez-la, puis découpez le poivron et la tomate. Réchauffez les tacos au four pour qu'ils soient bien croustillants, puis garnissez-les de viande et de crudités. Ils se mangent à la main comme des sandwichs.

■

SALADE ÉGYPTIENNE

Pour 4 personnes

1 kg de fèves fraîches

8 œufs extra-frais

les pelures de 2 oignons

2 petits piments rouges séchés

une cuillerée à café de cumin

un petit bouquet de sarriette

huile d'olive vierge extra

sel, poivre frais moulu

Mettez les œufs dans une casserole pleine d'eau avec les pelures d'oignon. Portez à ébullition et laissez cuire à feu très doux pendant 6 heures. Entre-temps, écossez les fèves, faites-les blanchir 10 minutes à l'eau bouillante salée avec la sarriette, égouttez-les et retirez la petite peau qui les entoure. Dans un bol,

mélangez 6 cuillerées d'huile avec les piments coupés très fin, le cumin, du sel et très peu de poivre. Laissez reposer au moins 1 heure puis mettez les fèves à mariner dans le mélange jusqu'à la fin de cuisson des œufs. Écalez ceux-ci, devenus complètement noirs, coupez-les en deux et servez avec les fèves baignant dans la sauce.

■

SALADE A LA VAPEUR

Pour 4 personnes

200 g de riz Basmati

6 feuilles de chou chinois

une courgette

*60 g de radis daikon (d'origine orientale ;
à défaut, de jeunes navets blancs)*

100 g de haricots verts

2 branches de céleri

une carotte

2 ciboules

100 g de pousses de navets

2 grosses tomates à jus

une gousse d'ail

un bouquet de coriandre fraîche

sauce de soja

huile d'olive vierge extra

vinaigre de vin blanc

sel, poivre frais moulu

Plongez le riz 5 minutes dans l'eau bouillante, puis égouttez-le et essuyez-le. Mettez les feuilles de chou dans le panier d'un cuit-vapeur, recouvrez de riz et ajoutez tous les légumes épluchés, lavés et légèrement salés (sauf les tomates). Jetez quelques feuilles de coriandre dans l'eau de cuisson et laissez cuire à couvert de 25 à 30 minutes. Quand le riz est presque cuit, ajoutez les tomates hachées et des feuilles de coriandre et recouvrez quelques minutes. Au moment de servir, ajoutez sel, poivre, huile, vinaigre et sauce de soja à volonté.

SALADE FRITE

Pour 4 personnes

3 petites bottes de jeune chicorée

100 g de longe de porc hachée

100 g de crevettes crues décortiquées

la moitié d'un poivron rouge

huile de soja

sauce de soja

une gousse d'ail non épluchée

vinaigre de riz

sel

Émincez le poivron puis coupez-le en petits dés. Émincez la chicorée puis lavez-la et essorez-la bien dans un linge. Réchauffez 3 cuillerées d'huile dans une poêle en fer (de préférence un wok chinois) et faites sauter la viande pendant 2 minutes, puis ajoutez le poivron et 2 minutes plus tard les crevettes. Salez modérément, versez 2 cuillerées à soupe de vinaigre et une de sauce de soja. Mélangez bien, puis ôtez du feu et maintenez au chaud. Faites frire la salade dans une friteuse remplie d'huile bouillante dans laquelle vous aurez jeté la gousse d'ail. Dès qu'elle est croquante, égouttez-la sur du papier absorbant pour éliminer le surplus d'huile. Mélangez-la à la viande et aux crevettes et servez sans attendre.

■

quelques feuilles de marjolaine fraîche

vinaigre de vin rouge

huile d'olive vierge extra

sel, poivre frais moulu

Coupez le concombre en rondelles, salez légèrement et laissez reposer pendant 10 minutes. Lavez le poivron, retirez-en les pépins et hachez-le grossièrement. Découpez les tomates, dénoyautez les olives et coupez le fromage en petits dés. Disposez tous ces ingrédients ainsi que l'oignon sur un plat, saupoudrez de basilic et de marjolaine hachés, poivrez, assaisonnez d'huile et de vinaigre et servez avec des tranches de pain de campagne. Laissez à chacun le loisir de saler à sa convenance car la féta est déjà très salée.

■

SALADE GRECQUE

Pour 4 personnes

un petit concombre

la moitié d'un oignon coupé en rondelles

un poivron vert

500 g de tomates bien mûres

250 g de féta (fromage grec caillé)

100 g d'olives noires de Grèce

un petit bouquet de basilic

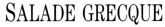

SALADE DE POULET AUX POIVRONS

Pour 4 personnes

un blanc de poulet

un petit poivron vert

un petit poivron rouge

2 ciboules

2 cuillerées à soupe de sauce chili

4 cuillerées à soupe de vinaigre de xérès

huile de soja

bouillon

sel, poivre frais moulu

EXOTIQUES

Dégagez bien le blanc de poulet de tout nerf ou gras et faites-le cuire 15 minutes dans le bouillon bouillant. Égouttez et laissez refroidir (on peut aussi utiliser des restes de poulet bouilli ou rôti). Débarrassez les poivrons des pépins et des parties blanches, lavez-les et essuyez-les. Puis coupez-les en morceaux et faites-les sauter 2 minutes à la poêle dans 2 cuillerées d'huile ; salez et poivrez. Émincez les ciboules, partie verte comprise, et mettez-les à tremper dans de l'eau froide pendant 30 minutes en changeant l'eau deux ou trois fois. Mélangez tous les ingrédients dans un saladier. Faites réduire le vinaigre sur le feu jusqu'à la valeur d'une bonne cuillerée à soupe, ajoutez 2 cuillerées d'huile et la sauce chili. Versez sur la salade, mélangez bien et servez.

Salade de poulet aux poivrons

CRUDITÉS AU TARAMA

Pour 4 personnes

100 g de mie de pain complet

100 g d'œufs de cabillaud fumés

le jus d'un citron et demi

2 gousses d'ail

huile d'olive vierge extra

4 carottes

2 cœurs de céleri

croûtons de pain complet

Mettez le pain émietté à tremper dans le jus de citron et 4 cuillerées d'eau et laissez-le bien s'imbiber pendant 10 minutes. Puis mélangez-le au mixer avec l'ail haché, les œufs de cabillaud et 4 ou 5 cuillerées d'huile jusqu'à obtenir une pâte bien lisse et homogène que vous verserez dans des coupelles individuelles. Découpez en bâtonnets les carottes et le céleri préalablement épluchés et lavés. Faites griller les croûtons de pain et servez à chacun une coupelle de tarama, des branchettes de carottes et de céleri et quelques croûtons.

■

CAROTTES A LA TURQUE

Pour 4 personnes

500 g de carottes

300 g de pommes de terre

80 g de noisettes émondées

40 g de mie de pain frais

3 gousses d'ail

huile d'olive vierge extra

vinaigre de vin blanc

sel, poivre frais moulu

Épluchez et lavez les carottes et les pommes de terre. Faites-les cuire à l'eau bouillante salée puis égouttez-les. Pendant ce temps, passez les noisettes au mixer pour les réduire en poudre, ajoutez la mie de pain, une cuillerée d'eau, l'ail haché et une cuillerée à café de sel. Puis versez un verre d'huile en filet tout en actionnant le mixer comme pour une mayonnaise. Incorporez enfin 5 cuillerées à soupe de vinaigre, salez, poivrez. Découpez les légumes encore chauds et assaisonnez-les aussitôt avec la sauce froide.

■

SALADE DE LÉGUMES AU CURRY

Pour 4 personnes

200 g de pois gourmands ou pois mange-tout

200 g de chou-fleur

200 g de carottes nouvelles surgelées

un petit concombre

50 g de pousses de soja

un oignon

150 g de yaourt

1 dl de crème fraîche

une cuillerée à café de curry en poudre

20 g de beurre

sel

Épluchez les pois (ôtez seulement les queues) et faites-les bouillir 4 ou 5 minutes. Découpez le chou-fleur en branchettes, plongez-le dans l'eau bouillante et égouttez-le encore croquant. Épluchez le concombre par bandes alternées, coupez-le en rondelles, salez-le et laissez-le reposer 20 minutes. Faites cuire les carottes encore surgelées pendant 5 minutes. Mélangez le tout avec les germes de soja dans un plat. Hachez grossièrement l'oignon et faites-le revenir à la poêle dans le beurre. Quand il est devenu transparent, saupoudrez de curry. Laissez dorer un instant. Versez la crème, attendez qu'elle épaississe et, hors du feu, incorporez le yaourt ; goûtez pour saler. Arrosez les légumes de sauce chaude, remuez et servez. Ce plat sera plus ou moins piquant selon la quantité de curry que vous incorporerez.

Salade de légumes au curry

SALADE D'ORANGES
A L'OIGNON

Pour 4 personnes

4 grosses oranges

un petit oignon

100 g d'olives noires

huile d'olive vierge extra

sel, poivre

Pelez les oranges entiè-res en prenant soin de retirer toute trace de pelure blanche. Coupez-les en tranches que vous disposerez sur un plat. Salez, poivrez et parsemez d'oignon haché et d'olives dénoyautées. Assaisonnez de quelques cuillerées d'huile et laissez macérer 30 minutes au frais avant de servir.

∎

SALADE DE CRUDITÉS
A LA NOIX DE COCO

Pour 4 personnes

une botte de cresson

100 g de carottes râpées

100 g de chou chinois

une petite botte de radis

une ciboule

une cuillerée à soupe de menthe hachée

la pulpe d'une demi-noix de coco

une tranche de trasi
(pâte de crevettes indonésienne)

une gousse d'ail

huile

le jus d'un demi-citron vert

piment de Cayenne en poudre

sucre, sel

Épluchez et lavez le cresson, lavez tous les légumes et émincez-les ou coupez-les en rondelles. Mélangez le tout dans un saladier et ajoutez la menthe. Faites frire la tranche de trasi pendant 2 minutes et mettez-la dans un mortier avec l'ail, le sel, une pointe de couteau de piment de Cayenne et une pincée de sucre. Pilez soigneusement l'ensemble jusqu'à obtenir un mélange granuleux. Incorporez-le à la pulpe de noix de coco râpée et allongez de jus de citron. Versez la sauce sur les légumes, remuez bien et servez.

∎

BRIQUETTES
DE CHOU-CAROTTES

Pour 4 personnes

une laitue

4 carottes

un chou chinois

sauce de soja

une cuillerée à café de gingembre frais râpé

vinaigre de xérès

sel, poivre frais moulu

Prenez un récipient quelconque, de forme carrée ou rectangulaire, et garnissez-le d'une feuille d'aluminium. Épluchez et râpez finement les carottes. Lavez et émincez le chou. Mettez ces deux ingrédients dans des récipients séparés, salez, poivrez et laissez-les dégorger jusqu'à ce qu'ils rendent toute leur eau, puis essorez-les bien. Ébouillantez la laitue quelques secondes, puis égouttez-la ; séparez les feuilles et laissez-les sécher sur un linge. Garnissez le récipient carré d'une première couche de laitue, recouvrez avec la moitié des carottes puis une deuxième couche de laitue. Continuez avec une couche de chou, une autre de laitue et terminez avec le restant de carottes et une dernière couche de laitue. Couvrez d'une feuille d'aluminium et d'un poids. Laissez reposer au frais plusieurs heures (ou toute la nuit). Puis démoulez, coupez en petits carrés et disposez

Briquettes de chou-carottes

dans les assiettes. Mélangez 3 cuillerées de sauce de soja, une de gingembre et une de vinaigre que vous verserez dans 4 bols pour y tremper les briquettes à l'aide de baguettes.

■

SALADE DE BETTERAVE A L'IRANIENNE

Pour 4 personnes
2 petites betteraves cuites
200 g de yaourt
une cuillerée à soupe de jus de citron
une cuillerée à soupe de menthe fraîche hachée
quelques feuilles de menthe
sel, poivre frais moulu

Pelez les betteraves et coupez-les en dés. Gardez-en de côté une cuillerée à soupe et mélangez le reste avec le yaourt, la menthe hachée, le jus de citron, du sel et du poivre. Disposez sur un plat, garnissez avec le restant de betterave et les feuilles de menthe entières. Mettez au réfrigérateur 1 heure avant de servir.

S · A · L · A · D · E · S
PLEINE FORME

Etre en pleine forme, c'est la nouvelle religion de notre époque. Et elle a déjà fait couler beaucoup d'encre. Notre intention n'est donc pas de proposer ici de nouvelles recettes véritablement diététiques mais des plats naturels qui associent des aliments à caractère similaire sur le plan nutritionnel et thérapeutique. Il est bien connu que les oranges apportent de la vitamine C, que les épinards sont riches en fer, que le son de blé facilite le transit intestinal. Mais, en réalité, il existe peu de produits de la terre qui n'aient des qualités appréciables pour notre santé. Sans peut-être guérir vraiment de maladies, on peut, par une nourriture appropriée, en prévenir certaines et surtout se maintenir en bonne santé. Bien au-delà du phénomène de mode, il s'agit de tenir compte de notre organisme, d'en prendre soin et cela d'une manière très simple et naturelle : en sachant s'alimenter.

■

Pages précédentes :
Salade reminéralisante

Salade fortifiante pour le foie

SALADE REMINÉRALISANTE

Pour 4 personnes

une petite laitue

une botte de radis longs

150 g de carottes nouvelles

4 branches de céleri

un petit panier de groseilles

400 g de yaourt de lait de chèvre

huile d'olive vierge extra

une gousse d'ail

vinaigre aux groseilles

sel (ou sel de régime sans sodium)

Épluchez et lavez salade et légumes. Entaillez les radis dans le sens de la longueur et mettez-les à tremper dans un bol d'eau glacée jusqu'à ce qu'ils s'ouvrent en fleur. Faites blanchir les carottes 2 minutes à l'eau bouillante et égouttez-les. Coupez le céleri en tranches obliques. Disposez dans les assiettes quelques feuilles de laitue et ajoutez carottes, radis et céleri. Écrasez l'ail pour en extraire le jus que vous recueillerez dans un bol et mélangerez à 2 cuillerées de vinaigre et 4 d'huile, puis salerez. Arrosez les plats de vinaigrette, mettez le yaourt au milieu et garnissez de baies de groseilles.

■

SALADE FORTIFIANTE POUR LE FOIE

Pour 4 personnes

800 g de fines asperges

un avocat

2 pamplemousses roses

un bouquet de cerfeuil

300 g de fromage blanc maigre (type caillé)

*une cuillerée à soupe de pistaches
décortiquées et pelées*

le jus de 2 citrons

huile d'olive vierge extra

sel (ou sel de régime sans sodium)

Coupez les queues fibreuses des asperges, lavez-les, ficelez-les en botte et mettez-les à cuire dans une casserole haute et étroite en laissant les pointes émerger. Égouttez-les dès qu'elles sont tendres et laissez refroidir. Pelez à vif les pamplemousses et coupez-les en tranches. Pelez l'avocat, retirez le noyau, découpez la chair en tranches épaisses que vous plongez immédiatement dans le jus de citron. Constituez plusieurs parts de fromage. Disposez le tout dans les assiettes. Salez et garnissez généreusement de cerfeuil et de pistaches hachées. Arrosez simplement d'huile et de jus de citron.

■

SALADE PURIFIANTE POUR LE VISAGE

Pour 4 personnes

quelques feuilles de trévise

2 pommes Starking ou Red Delicious

2 poireaux

un demi-chou blanc

une cuillerée à soupe d'amandes décortiquées

un petit bouquet de persil

un petit bouquet de cerfeuil

vinaigre de cidre

huile d'olive vierge extra

sel (ou sel de régime sans sodium)

Lavez la salade et les légumes. Plongez les poireaux 2 minutes dans un peu d'eau bouillante et coupez-les en rondelles (ou laissez-les crus). Émincez le chou. Lavez les

Salade purifiante pour le visage

pommes, ôtez-en le cœur et coupez-les en tranches sans les peler. Mélangez tous les ingrédients dans les assiettes et garnissez de brins de persil et d'amandes découpées en lamelles. Pour la vinaigrette, mélangez 3 cuillerées de vinaigre, 6 d'huile et le cerfeuil haché. Salez et versez sur les salades.

■

SALADE VITALITÉ

Pour 4 personnes

une laitue

400 g de fromage blanc

2 tranches d'ananas frais

2 oranges

2 cuillerées à soupe de raisins secs

une cuillerée à soupe de graines de courge décortiquées

une cuillerée à soupe de jus de citron

oignon séché en poudre

huile d'olive vierge extra

sel (ou sel de régime sans sodium)

Lavez la salade, essorez-la et disposez les feuilles en couronne sur le bord des assiettes. Épluchez les oranges entières, détachez les quartiers et coupez-les en morceaux ainsi que l'ananas. Mélangez dans un saladier les fruits, le fromage et les raisins secs, assaisonnez d'un peu de sel et de 2 pincées d'oignon en poudre ; arrosez d'un filet d'huile et du jus de citron. Placez le mélange au milieu de chaque assiette et saupoudrez de graines de courge.

■

SALADE POUR LES VOIES RESPIRATOIRES

Pour 4 personnes

une laitue

4 carottes

2 petites bottes de radis

un petit panier de pousses de radis et d'alfa

un petit bouquet de menthe fraîche

un radis noir

huile d'olive vierge extra

vinaigre de vin doux très parfumé

sel (ou sel de régime sans sodium)

Épluchez et lavez la salade et les légumes. Coupez les radis en rondelles épaisses puis chacune en bâtonnets. Découpez les carottes en rondelles fines (et, si vous le souhaitez, ébouillantez-les 1 minute). Disposez dans les assiettes les feuilles de laitue, les carottes, les radis et, au milieu, une jolie touffe de pousses. Épluchez le radis noir, coupez-le en petits dés et mélangez-le avec la menthe hachée, 4 cuillerées d'huile et du vinaigre à volonté. Salez. Arrosez les plats de vinaigrette et servez.

■

SALADE DE RÉGIME DIÉTÉTIQUE

Pour 4 personnes

600 g de pommes de terre

2 poireaux

3 navets

2 pommes de reinette

un petit bouquet de fines herbes (basilic, persil, menthe, cerfeuil, ciboulette)

huile d'olive vierge extra

vinaigre aux cerises

sel de régime sans sodium

Brossez les pommes de terre sous l'eau courante pour éliminer toute trace de terre. Plongez-les dans un peu d'eau bouillante non salée et égouttez-les dès qu'elles sont tendres.

Salade pour les
voies respiratoires

Laissez-les refroidir et coupez-les en rondelles sans les peler. Faites cuire pareillement les navets et coupez-les en dés. Émincez les poireaux et faites-les blanchir 1 minute dans l'eau frémissante. Lavez les pommes, retirez-en le cœur et coupez-les en dés. Disposez le tout dans les assiettes. Préparez un hachis d'herbes fraîches que vous mêlerez à la vinaigrette composée de 3 cuillerées de vinaigre et d'une cuillerée d'huile par personne. Cet assaisonnement très parfumé donne beaucoup de goût à la préparation sans qu'il soit nécessaire d'ajouter du sel ; si malgré tout ce n'est pas assez salé à votre goût, employez uniquement du sel de régime sans sodium.

■

SALADE DÉSINTOXICANTE

Pour 4 personnes

2 figues de Barbarie

une grosse papaye

2 oranges ou 4 mandarines

un petit panier d'arbouses

400 g de ricotta ou de caillé

un cœur de laitue

120 g de miel liquide

Salade désintoxicante

Épluchez les figues de Barbarie en les tenant dans un linge pour éviter de vous blesser avec les épines et taillez la pulpe en quartiers. Pelez la papaye, retirez les pépins et coupez-la en morceaux ou, plus décoratif, en tranches en forme de feuilles. Lavez les oranges et coupez-les en quartiers sans les peler. Lavez et essuyez délicatement les arbouses. Tout en préparant les fruits, recueillez-en le jus que vous mélangerez avec le miel. Mettez fromage et fruits dans les assiettes, garnissez de laitue et, au moment de servir, versez le miel sur le fromage.

■

SALADE CONTRE L'ANÉMIE

Pour 4 personnes
un bouquet de chicorée sauvage
une botte de cresson
un petit melon
2 poires
2 soucis
un petit bouquet de thym frais
un petit bouquet de mélisse ou de menthe
vinaigre au citron
huile d'olive vierge extra
sel

Lavez la chicorée et le cresson, essorez-les bien et placez-les dans les assiettes. Ouvrez le melon, retirez-en les pépins, épluchez-le et coupez-le en dés. Lavez les poires, retirez-en le cœur et coupez-les en tranches sans les peler. Placez les fruits dans les assiettes et garnissez de feuilles et de pétales de soucis. Hachez les fines herbes et joignez-les à la vinaigrette composée de 3 cuillerées de vinaigre au citron et de 6 d'huile. Salez et versez sur les plats.

■

SALADE DIURÉTIQUE

Pour 4 personnes
une botte de pissenlits
une botte de cresson
une laitue
une grappe de raisin blanc
2 cuillerées à soupe de jus de poireau
vinaigre au laurier
huile d'olive vierge extra
sel de régime sans sodium

PLEINE FORME

Lavez soigneusement le cresson et les pissenlits que vous aurez, si possible, cueillis dans les prés. Lavez la laitue, placez les feuilles dans les assiettes et disposez au milieu les salades sauvages et le raisin lavé et égrené. Préparez une vinaigrette avec le jus de poireau, 3 cuillerées de vinaigre, 6 d'huile, émulsionnez bien au fouet et versez sur la salade. Remplacez de préférence le sel par un sel de régime parce que le sodium est le principal responsable de la rétention d'eau dans l'organisme.

■

SALADE DÉPURATIVE

Pour 4 personnes

quelques feuilles de laitue

400 g de haricots verts fins

2 oignons rouges et 2 petits concombres

50 g de levure de bière

*une cuillerée à soupe bien pleine
de pignes grillées*

huile d'olive vierge extra

vinaigre de vin blanc

sel (ou sel de régime sans sodium)

Lavez les haricots verts et retirez les queues mais non les fils car c'est précisément dans cette partie de la gousse que sont concentrées les substances utiles à l'organisme. Faites-les cuire dans un peu d'eau bouillante et égouttez-les encore croquants. Pelez les concombres en rayures avec la râpe à zeste. Épluchez et émincez les oignons en gardant les pelures. Disposez dans les assiettes la laitue lavée et essorée, les rondelles d'un concombre et demi, les haricots verts et les oignons et parsemez le tout de pignes grillées et de levure de bière émiettée. Coupez le demi-concombre restant en morceaux que vous placez dans un linge et tordez pour en extraire le jus ; recueillez celui-ci dans une terrine et mélangez avec 2 cuillerées de vinaigre et 5 d'huile. Hachez les pelures d'oignons, ajoutez-les à la vinaigrette, salez et versez sur les salades.

SALADE APÉRITIVE

Pour 4 personnes

une betterave crue

2 carottes

un demi-chou frisé

*2 cuillerées à soupe d'amandes
et de noix décortiquées*

2 cuillerées à soupe de germes de blé

un petit bouquet d'estragon

vinaigre de vin blanc

huile de noix

sel

Épluchez et lavez les carottes et la betterave et râpez-les finement. Lavez et émincez le chou. Disposez ces ingrédients dans les assiettes sans les mélanger. Ajoutez les noix et les amandes hachées ainsi que les germes de blé. Saupoudrez d'estragon haché. Assaisonnez d'huile de noix et de vinaigre. Salez à volonté.

■

SALADE CALMANTE
POUR LES NERFS

Pour 4 personnes

une belle laitue

4 branches de céleri

2 pêches jaunes

2 pommes Granny Smith

une poignée de feuilles de céleri

marjolaine, mélisse, thym et sauge

vinaigre de vin rouge

huile d'olive vierge extra

sel (ou sel de régime sans sodium)

Salade dépurative

Lavez le céleri et coupez-le en rondelles. Lavez la salade, gardez les feuilles du cœur entières et déchirez les autres. Lavez et essuyez les fruits. Retirez le cœur des pommes, le noyau des pêches ; coupez les fruits en tranches sans les peler et disposez le tout dans les assiettes. Mettez les fines herbes et les feuilles de céleri hachées dans un bol et ajoutez 3 cuillerées de vinaigre et 6 d'huile. Remuez, salez à volonté et versez sur les salades.

■

SALADE ÉNERGÉTIQUE

Pour 4 personnes

150 g de jeunes épinards très frais

300 g de potiron

200 g de maïs en grains

6 topinambours

un cœur de laitue

150 g de petits pois écossés et cuits

un petit bouquet de persil

vinaigre de cidre

huile d'olive vierge extra

sel (ou sel de régime sans sodium)

Épluchez le potiron, coupez-le en petits morceaux que vous plongez 5 minutes dans un peu d'eau bouillante. Épluchez les topinambours (tubercules brunâtres qui ont un goût de cœur d'artichaut et se mangent cuits) et faites-les cuire 5 ou 6 minutes dans de l'eau additionnée d'une cuillerée de vinaigre. Lavez soigneusement les épinards pour retirer toute trace de terre et essuyez-les. Disposez dans les assiettes : salade, épinards, petits pois, maïs, potiron et topinambours coupés en rondelles. Parsemez de persil haché grossièrement. Dans un bol, émulsionnez 3 cuillerées de vinaigre et 6 d'huile, salez à volonté et versez l'assaisonnement sur les assiettes.

SALADE « ÉLIXIR DE JOUVENCE »

Pour 4 personnes

4 abricots

2 petites oranges

une banane

un pamplemousse

4 carottes

6 châtaignes bouillies et épluchées

4 dattes fraîches

quelques noisettes décortiquées

6 cuillerées à soupe de corn-flakes non sucrés

400 g de yaourt

une cuillerée à café de zeste d'orange râpé

Épluchez, lavez et râpez les carottes. Lavez tous les fruits. Coupez la banane en rondelles, épluchez les oranges et le pamplemousse, coupez-les en morceaux ainsi que les abricots. Hachez grossièrement les châtaignes, les noisettes et les dattes dénoyautées, incorporez-les au yaourt et parfumez de zeste d'orange. Disposez séparément dans les assiettes les différents fruits et les carottes. Saupoudrez de corn-flakes et versez le yaourt au milieu.

■

SALADE ANTICHOLESTÉROL

Pour 4 personnes

4 petits artichauts poivrade

200 g de maïs en grains

150 g de graines de soja cuites

un cœur de laitue

quelques graines de tournesol décortiquées

une cuillerée à soupe de jus de citron

vinaigre de vin blanc

huile de tournesol

sel (ou sel de régime sans sodium)

Salade énergétique

Ouvrez les artichauts et enlevez les feuilles dures, les pointes et le foin. Coupez-les en tranches que vous baignerez dans de l'eau additionnée de jus de citron. Lavez la laitue. Disposez les feuilles au bord des assiettes, garnissez, sans mélanger, de soja, maïs et artichauts égouttés et essuyés. Parsemez d'une cuillerée de graines de tournesol grillées. Ajoutez sel, vinaigre et huile.

S · A · L · A · D · E · S
RAFFINÉES

L'innovation majeure de ces dernières années en matière culinaire a bien sûr été l'apparition de la « nouvelle cuisine ». Celle-ci est née du besoin de rajeunir une gastronomie universellement reconnue et de l'adapter aux nouvelles exigences tant diététiques et gustatives qu'esthétiques. Elle a été accueillie, vantée, exportée dans le monde entier, louée ou critiquée. Sans doute n'est-elle plus aujourd'hui aussi à la mode qu'il y a quelques années. Mais elle nous aura du moins appris une chose à ne pas négliger : qu'un plat peut non seulement être bon mais aussi agréable à voir et digeste. Sans prétendre faire de la « nouvelle cuisine », nous avons pensé donner à ces salades raffinées un « look » particulièrement « dessiné » et recherché qui mette en valeur les prestigieux ingrédients choisis pour ces recettes. Des gourmandises telles que le saumon, le caviar, les langoustes, les truffes — aliments prisés pour leur rareté et leur finesse — s'offrent ainsi à la vue dans une présentation qui prédispose subtilement au plaisir qu'elles donnent.

■

Pages précédentes :
Coquilles Saint-Jacques en salade

COQUILLES SAINT-JACQUES EN SALADE

Pour 4 personnes

20 grosses coquilles Saint-Jacques

50 g de petite salade (genre roquette)

un cœur de frisée

une mandarine

le jus d'un demi-citron

un petit bouquet d'estragon

2 cuillerées à soupe de mayonnaise

1,5 dl de crème fraîche épaisse

un petit verre de vermouth

une noix de beurre

sel, poivre blanc frais moulu

Ouvrez les coquilles Saint-Jacques avec un petit couteau effilé et sortez les mollusques. Lavez-les sous l'eau courante et ne conservez que les coraux et les noix. Faites revenir à la poêle, dans le beurre, les coquilles Saint-Jacques, des deux côtés ; puis videz le jus, salez, poivrez et arrosez de vermouth. Lavez et essuyez la mandarine ; râpez le zeste, mettez-le de côté et extrayez le jus. Dans une terrine, mélangez la mayonnaise, la crème, les jus de citron et de mandarine. Parfumez avec l'estragon haché, salez, poivrez. Lavez les salades et disposez-les sur les assiettes : la frisée au milieu, la roquette sur les bords. Mettez 5 noix de Saint-Jacques dans chaque assiette. Arrosez-les de sauce et saupoudrez l'ensemble de zeste de mandarine. Servez le restant de sauce à part.

■

ŒUFS DE CAILLE AU CAVIAR

Pour 4 personnes

50 g de mesclun ou de jeunes salades

12 œufs de caille durs

Œufs de caille au caviar

une petite botte de ciboulette

50 g de caviar

une cuillerée à soupe de jus de citron

huile d'olive vierge extra

sel, poivre frais moulu

toasts

Écalez les œufs de caille et coupez-les en tranches épaisses. Épluchez et lavez la salade.

Pour la vinaigrette, mélangez une cuillerée de jus de citron, 2 d'huile, une pincée de sel et une de poivre. Disposez les feuilles de salade en rond dans les assiettes avec, sur chacune d'elles, une tranche d'œuf et, à côté, un peu de caviar. Placez une feuille et une tranche d'œuf au milieu avec une bonne cuillerée de caviar. Ornez l'ensemble de brins de ciboulette et servez sans attendre, avec les toasts.

■

CŒURS D'ARTICHAUTS A LA CRÈME

Pour 4 personnes

8 artichauts (ou 12 selon la grosseur) poivrade ou violets

le jus d'un demi-pamplemousse rose

3 cuillerées à soupe de jus de citron

2 dl de crème fraîche épaisse

un petit bouquet de mélisse ou de citronnelle

sel, poivre frais moulu

Débarrassez les artichauts des feuilles et du foin pour ne garder que les fonds. Plongez-les immédiatement dans de l'eau additionnée d'une cuillerée de jus de citron pour qu'ils ne noircissent pas. Mélangez la crème avec une cuillerée de jus de citron et laissez reposer 1 heure dans un endroit tiède. Faites réduire sur le feu le jus de pamplemousse à la valeur de 2 cuillerées de liquide, ajoutez la crème, salez, poivrez et aromatisez de mélisse hachée. Mettez la sauce à refroidir au réfrigérateur.

Faites blanchir les artichauts à l'eau bouillante salée additionnée de 2 cuillerées de jus de citron. Égouttez-les, puis assaisonnez-les, encore tièdes, de sauce à la crème froide.

■

LANGOUSTES ET LÉGUMES CUITS A LA VAPEUR

Pour 4 personnes

2 langoustes

une poignée de pois gourmands ou pois mange-tout

une poignée de haricots verts extra-fins

2 carottes

20 asperges fines

4 tomates bien mûres

une ciboule

une gousse d'ail

huile d'olive vierge extra

piment en poudre

le jus d'un citron

sel, poivre

Épluchez tous les légumes, sauf les tomates, et découpez les carottes en forme d'olives ; faites-les cuire ensemble à la vapeur de façon qu'ils restent croquants. Ébouillantez les tomates 2 minutes, pelez-les, retirez les pépins et l'excès de jus, puis écrasez la pulpe. Ajoutez du sel, du poivre, la partie verte de la ciboule hachée et quelques gouttes de jus d'ail. Mélangez avec 5 cuillerées d'huile, le jus de citron et la pointe d'un couteau de piment. Laissez macérer au moins 30 minutes. Plongez les langoustes dans une grande casserole d'eau bouillante salée de 20 à 25 minutes et égouttez-les. Détachez les pinces, cassez-les pour en extraire la pulpe. Coupez les queues, décortiquez-les et coupez-les en tranches que vous disposerez dans les assiettes, garnissez de légumes. Arrosez de sauce à la tomate et servez sans attendre.

Salade de foie gras aux groseilles

SALADE WALDORF

Pour 4 personnes

2 pommes rouges

4 branches de céleri tendre

2 cuillerées à soupe de noix hachées

une cuillerée à café de ciboulette hachée

150 g de mayonnaise

150 g de yaourt

sel, poivre frais moulu

Mélangez le yaourt avec la mayonnaise, salez et poivrez. Épluchez les pommes, retirez-en le cœur et les pépins et coupez-les en petits dés. Arrosez-les de sauce avant qu'elles ne noircissent, puis ajoutez le céleri coupé en rondelles et les noix. Versez dans un plat et saupoudrez de ciboulette hachée.

■

SALADE DE FOIE GRAS AUX GROSEILLES

Pour 4 personnes

200 g de mousse de foie gras

quelques brins d'aneth frais

une botte de cresson

une trévise

un petit panier de groseilles

vinaigre aromatisé aux groseilles

huile de noix

sel, poivre blanc frais moulu

pain de campagne

Épluchez la trévise et le cresson, lavez-les et essorez-les. Préparez la vinaigrette avec 2 cuillerées de vinaigre, 4 d'huile, du sel et du poivre, puis laissez-la reposer au moins 30 minutes avec un brin d'aneth en infusion. Lavez et essuyez délicatement les groseilles en triant les grappes les plus belles. Passez deux cuillères sous

l'eau froide et disposez dans les assiettes 3 cuillerées de foie gras intercalées avec des feuilles de trévise et quelques groseilles. Placez au milieu un bouquet de cresson. Retirez l'aneth de la vinaigrette et versez celle-ci sur les plats. Décorez les portions de mousse de foie gras d'un brin d'aneth et servez avec des croûtons de pain de campagne bien grillés.

■

CARPACCIO DE SAUMON

Pour 4 personnes

2 bouquets de roquette (petite salade)

750 g de queue de saumon en filets

2 cuillerées à soupe de miel

4 cuillerées à café d'aneth haché

2 cuillerées à soupe de moutarde

4 cuillerées à soupe de crème fleurette additionnée de jus de citron

vinaigre de vin blanc

huile d'olive vierge extra

sel, poivre gris en grains

Pilez au mortier une cuillerée à soupe de poivre en grains que vous mélangez avec 2 cuillerées d'aneth haché, 2 de sel fin et le miel. Garnissez le fond d'un plat de la moitié du mélange, posez dessus un filet de saumon, versez le restant de sauce et posez l'autre filet. Recouvrez d'une feuille d'aluminium et posez des poids dessus ; laissez mariner au réfrigérateur 2 ou 3 jours. Une fois par jour, vous retournerez délicatement le saumon. Au moment de servir, nettoyez-le avec un couteau de poissonnier et coupez-le en tranches fines comme s'il était fumé, avant de le disposer dans les assiettes. Épluchez, lavez, émincez la roquette et placez-en un bouquet au milieu de chaque assiette. Dans un bol, mélangez la crème avec la moutarde, le vinaigre, 4 cuillerées d'huile, 2 d'aneth haché, du sel et du poivre moulu à l'instant. Servez avec la sauce à part.

SALADE D'ANGUILLE FUMÉE AU POIVRE VERT

Pour 4 personnes

16 petits filets d'anguille fumée

une grosse courgette

une grosse carotte

un demi-radis daikon (d'origine orientale)

une demi-cuillerée à soupe de poivre vert séché

2 citrons

huile d'olive vierge extra

sel, poivre frais moulu

Mettez les filets d'anguille dans un plat, arrosez-les de 2 cuillerées à soupe de jus de citron et 3 d'huile, saupoudrez de poivre vert pilé au mortier et laissez mariner une heure. Épluchez, coupez les légumes, coupez-les en rondelles puis en julienne (lanières très fines). Mélangez dans un bol 2 pincées de sel, une de poivre noir, une de poivre vert, 2 cuillerées de jus de citron et 4 d'huile ; émulsionnez la vinaigrette et versez-la sur les légumes. Posez les filets d'anguille sur le gril bien chaud juste le temps de les marquer. Disposez-les dans les assiettes, garnissez de fines tranches de citron et servez sans attendre.

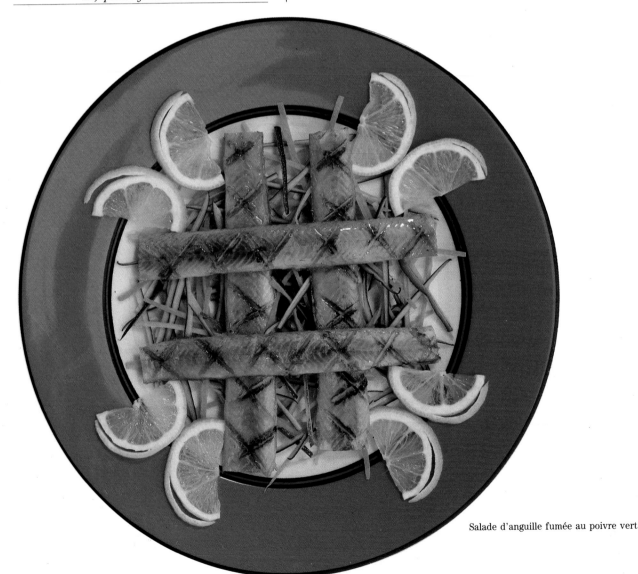

Salade d'anguille fumée au poivre vert

SALADE DE LANGOUSTINES AUX HARICOTS BLANCS

Pour 4 personnes

24 langoustines entières

300 g de haricots à écosser déjà cuits

100 g de mâche

2 ciboules

huile d'olive vierge extra ou de maïs

vinaigre de vin rouge

2 cuillerées à soupe de persil haché

sel, poivre moulu au dernier moment

Coupez la ciboule et mettez-la dans une grande poêle avec 6 cuillerées d'huile. Dès que l'huile est chaude, ajoutez les langoustines et laissez cuire 5 minutes à feu vif. Pendant ce temps, faites réduire de moitié 5 cuillerées de vinaigre que vous verserez sur les langoustines, salez et poivrez généreusement. Lavez la mâche, essorez-la et mélangez-la avec les haricots. Décortiquez 20 langoustines, coupez-les en deux et ajoutez-les à la salade. Assaisonnez le tout avec de l'huile de cuisson des crustacés, du persil, encore un peu de poivre et de sel. Servez dans les assiettes et ornez d'une langoustine entière.

■

SALADE DE TRUFFE

Pour 4 personnes

2 céleris en branches

120 g de parmesan ou de cantal fort

une truffe d'environ 60 g
(blanche ou noire)

huile d'olive vierge extra

sel, poivre noir frais moulu

Brossez la truffe pour éliminer la terre, frottez-la si nécessaire avec un

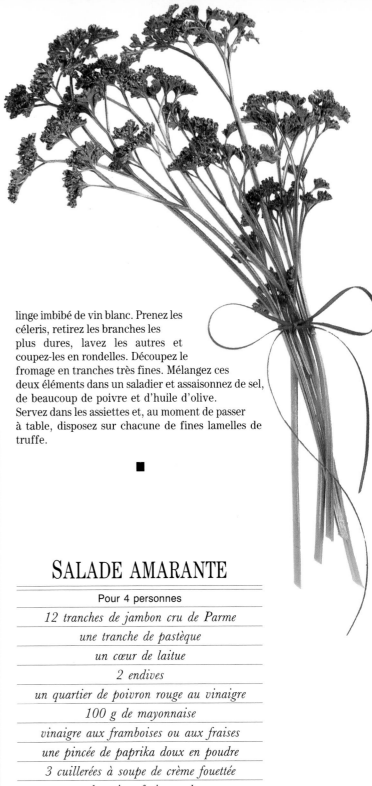

linge imbibé de vin blanc. Prenez les céleris, retirez les branches les plus dures, lavez les autres et coupez-les en rondelles. Découpez le fromage en tranches très fines. Mélangez ces deux éléments dans un saladier et assaisonnez de sel, de beaucoup de poivre et d'huile d'olive. Servez dans les assiettes et, au moment de passer à table, disposez sur chacune de fines lamelles de truffe.

■

SALADE AMARANTE

Pour 4 personnes

12 tranches de jambon cru de Parme

une tranche de pastèque

un cœur de laitue

2 endives

un quartier de poivron rouge au vinaigre

100 g de mayonnaise

vinaigre aux framboises ou aux fraises

une pincée de paprika doux en poudre

3 cuillerées à soupe de crème fouettée

sel, poivre frais moulu

Épluchez et lavez laitue et endives et hachez-les grossièrement ainsi que le poivron. Incorporez à la mayonnaise une cuillerée à café de vinaigre, le paprika, une pincée de poivre et la crème fouettée. Mélangez la salade à cette préparation et ajoutez du sel si nécessaire. Roulez les tranches de jambon en cônes, remplissez-les de salade et disposez-les sur les assiettes. Garnissez de boules de pastèque que vous obtiendrez à l'aide d'une cuillère ronde spéciale ou d'une cuillère à café. Gardez au réfrigérateur jusqu'au moment de servir.

■

SALADE DE SAUMON EN GELÉE

Pour 4 personnes

4 tranches de saumon frais

un bouquet de persil

une poignée de feuilles d'oseille

200 g de brocolis

4 petites courgettes

un cœur de frisée

2 petites tomates

une carotte

une branche de céleri

un petit poireau

un oignon

une feuille de laurier

quelques grains de poivre

un clou de girofle

4 dl de vin blanc sec

un petit verre de cognac

2 feuilles de gélatine

huile d'olive vierge extra

vinaigre aux fraises

une cuillerée à soupe de jus de citron

sel, poivre frais moulu

Épluchez la carotte, le céleri, le poireau et l'oignon. Coupez le tout en petits morceaux et mettez dans une casserole avec

75 cl d'eau, le vin blanc, le laurier, le clou de girofle et le poivre en grains. Portez doucement à ébullition et laissez frémir le court-bouillon pendant 20 minutes. Filtrez-le, salez légèrement et faites blanchir les courgettes et les brocolis. Égouttez-les, coupez les courgettes en rondelles, les branchettes de brocolis en deux. Faites cuire le saumon 10 minutes dans le bouillon, égouttez-le, débarrassez-le des arêtes et de la peau, et coupez-le en dés. Lavez et hachez finement le persil et l'oseille et mélangez-les soigneusement avec le saumon jusqu'à ce que celui-ci en soit couvert. Filtrez le bouillon de cuisson à travers un linge fin, remettez-le sur le feu pour le faire réduire à 4 dl, allongez-le de cognac, laissez s'évaporer l'alcool et sortez du feu. Entre-temps, vous aurez mis la gélatine à tremper dans l'eau froide. Égouttez-la et faites-la fondre dans le bouillon encore chaud. Dès qu'elle est tiède, versez-en une cuillerée au fond de quatre ramequins et mettez 5 minutes au réfrigérateur. Puis ajoutez le saumon aux herbes et recouvrez avec le restant de gélatine. Laissez prendre au réfrigérateur. Démoulez les aspics au milieu des assiettes, garnissez tout autour avec les légumes cuits, des quartiers de tomates et la salade assaisonnée au dernier moment avec une vinaigrette composée d'huile, de citron, de vinaigre, de sel et de poivre.

■

SALADE D'ORONGES

Pour 4 personnes

600 g d'oronges

120 g de parmesan ou de cantal fort

2 cuillerées à soupe de jus de citron

huile d'olive vierge extra

sel, poivre blanc frais moulu

Nettoyez délicatement les champignons de toute trace de terre avec un linge humide et coupez-les en tranches fines. Découpez le fromage en lamelles très fines. Disposez ces ingrédients dans les assiettes. Avant de servir, préparez une vinaigrette avec le jus de citron, 5 cuillerées d'huile, du sel et du poivre. Versez sur les assiettes et mélangez bien.

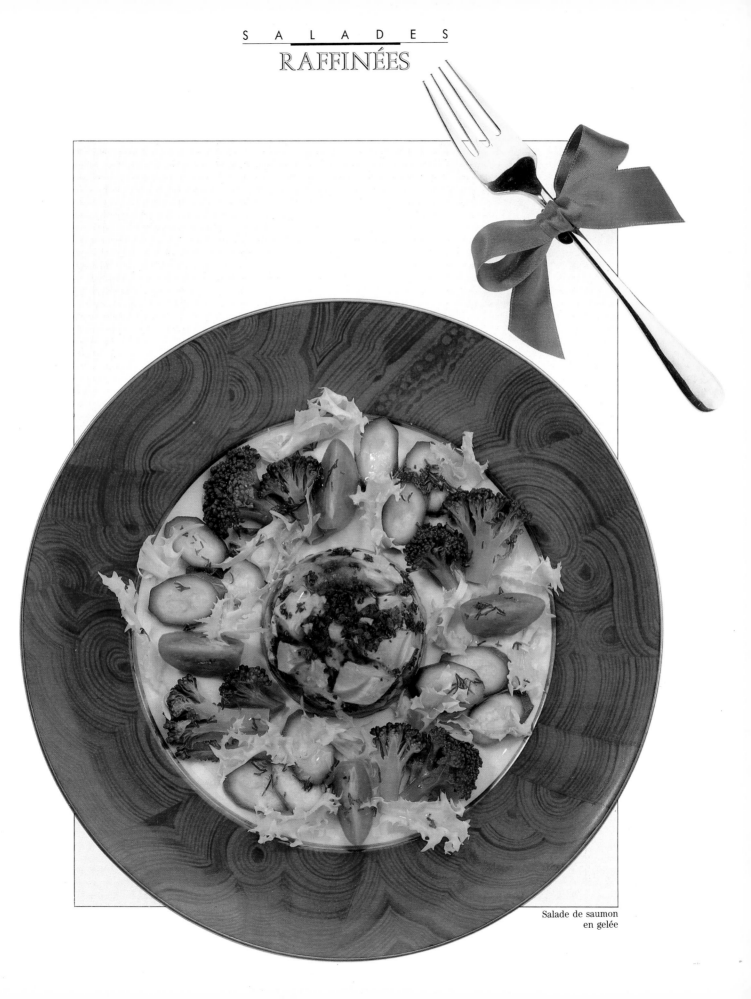

Salade de saumon
en gelée

S·A·L·A·D·E·S
CRÉATIVES

L a cuisinière n'est plus ce qu'elle était autrefois, épouse attentionnée ou mère de famille s'affairant aux fourneaux. Aujourd'hui, la cuisine attire une nouvelle catégorie d'amateurs, notamment chez les jeunes. Pris par leur vie professionnelle, habitant seuls, souvent célibataires, aimant leur autonomie, ce sont des personnes très actives, pleines d'énergie, pour qui la préparation d'un repas est un moment de détente, une pause au sein de la vie frénétique qu'ils mènent. Parce qu'ils sont lassés de manger au restaurant ou pour le plaisir d'inviter quelques amis ou collègues à dîner sans recourir aux insipides plats tout préparés, ils se mettent à cuisiner avec ardeur dans un esprit neuf et dynamique. Pour eux, l'élaboration d'un plat est l'occasion de faire valoir leur personnalité et leur inventivité. Ils se montreront attentifs aux moindres détails tant esthétiques que gastronomiques. Il en résulte une cuisine extrêmement sympathique, pleine d'esprit et de saveurs. Jugez plutôt !

■

Pages précédentes :
Salade panachée au saumon

SALADE PANACHÉE AU SAUMON

Pour 4 personnes

400 g de saumon frais

2 branches de céleri

une frisée

un quart de poivron jaune

un quart de poivron rouge

2 courgettes

2 carottes

une demi-cuillerée à soupe de pâte d'anchois

une demi-gousse d'ail

le jus d'un citron

huile d'olive vierge extra ou de maïs

sel, poivre

É pluchez et lavez tous les légumes et la salade ; coupez les poivrons en losanges, les branches de céleri en biais et déchirez la salade à la main. Faites blanchir le saumon 10 minutes dans de l'eau bouillante salée. Égouttez-le, retirez la peau et les arêtes, coupez-le en morceaux que vous assaisonnerez de poivre et d'un peu de citron. Découpez les carottes et les courgettes en longues lanières. Plongez-les 2 ou 3 minutes dans de l'eau bouillante et disposez-les en croisillons au fond des assiettes. Écrasez l'ail et amalgamez-le avec la pâte d'anchois. Mélangez progressivement le jus de citron et 5 cuillerées d'huile. Mettez la salade, les poivrons, le céleri et le saumon dans un grand saladier, assaisonnez de vinaigrette et répartissez dans les assiettes.

■

SALADE DE FOIES DE VOLAILLE AUX FRAMBOISES

Pour 4 personnes

200 g de salades diverses
(mâche, cresson, feuille-de-chêne)

Salade de foies
de volaille
aux framboises

un petit panier de framboises

16 foies de volaille

2 petits verres de xérès

vinaigre aux framboises

huile d'olive vierge extra ou de maïs

30 g de beurre

une cuillerée à café de poivre rose séché

sel

Lavez les salades et les framboises. Épongez-les bien et disposez-les dans les assiettes. Nettoyez les foies avec un petit couteau effilé et salez-les légèrement. Faites-les revenir 5 minutes à la poêle dans le beurre chaud. Retirez le gras de cuisson, puis remettez la poêle sur le feu, ajoutez le xérès et le poivre rose concassé et laissez cuire encore 2 ou 3 minutes. Retirez les foies et gardez-les chauds. Mouillez le jus de cuisson de 4 cuillerées de vinaigre, passez le liquide au chinois et incorporez 4 cuillerées d'huile en battant au fouet. Coupez les foies en deux, répartissez-les dans les assiettes. Arrosez de sauce tiède et servez sans attendre.

■

SALADE AU RAISIN

Pour 4 personnes

2 cœurs de scarole

4 petites grappes de raisin noir

300 g de fromage de chèvre tendre

2 cuillerées à soupe d'amandes effilées

une cuillerée à soupe de paprika doux en poudre

Tabasco

vinaigre aux fraises

huile d'olive vierge extra

sel, poivre

Travaillez le fromage de chèvre à la spatule en incorporant 2 pincées de poivre, 2 de sel et quelques gouttes de Tabasco. Constituez à la main des petites boulettes de la taille d'un grain de raisin que vous saupoudrerez de paprika doux. Mettez-les au réfrigérateur. Lavez la salade, essorez-la et déchirez-la à la main. Faites dorer les amandes sous le gril du four. Lavez le raisin et épongez-le. Mélangez dans un bol 2 cuillerées de vinaigre avec 4 d'huile, salez, poivrez. Assaisonnez la salade et répartissez-la dans les assiettes. Garnissez chaque plat d'une grappe de raisin en remplaçant quelques grains par des boulettes de fromage. Dispersez-en quelques-unes parmi la salade et parsemez d'amandes grillées. Vous pouvez aussi égrener le raisin et le mélanger à l'ensemble.

■

Salade au raisin

SALADE DE THON
AUX POIRES

Pour 4 personnes
4 poires William
400 g de thon à l'huile
une cuillerée à soupe de persil haché
une demi-cuillerée de ciboulette hachée
100 g de mâche

le jus de 2 citrons

huile d'olive vierge extra

sel

Épluchez et lavez la mâche et essorez-la délicatement pour ne pas abîmer les feuilles. Lavez les poires, retirez-en le cœur et coupez-les en dés. Émiettez le thon à la fourchette. Mettez le thon et les poires dans un saladier, arrosez de jus de citron et de 4 cuillerées à soupe d'huile, aromatisez avec les fines herbes et un peu de sel. N'ajoutez la mâche qu'au moment de servir. Présentez dans quatre coupelles.

■

SALADE DE PARME
A LA POIRE ET A L'AVOCAT

Pour 4 personnes

une scarole

12 tranches de jambon cru de Parme

2 poires William rouges

un avocat

200 g de mozzarella

le jus d'un citron

vinaigre blanc

huile d'olive vierge extra

sel, poivre frais moulu

Épluchez et lavez la scarole, déchirez les feuilles à la main. Découpez le fromage en petits morceaux. Préparez une vinaigrette avec une cuillerée de vinaigre et 3 d'huile, du sel et du poivre. Lavez et coupez les poires en deux. Retirez-en le cœur et coupez-les en tranches très fines. Pelez l'avocat, retirez-en le noyau et coupez-le également en tranches. Arrosez ces deux éléments de jus de citron pour qu'ils ne noircissent pas. Placez 3 tranches de jambon au fond de chaque assiette. Assaisonnez la salade et le fromage de vinaigrette et placez-les d'un côté du plat pour garnir l'autre de tranches alternées de poire et d'avocat.

ŒUFS DE CAILLE
AU PARMESAN

Pour 4 personnes

32 œufs de caille

100 g de parmesan ou de cantal fort

150 g de mâche très fraîche

le jus de 2 citrons

huile d'olive vierge extra

sel, poivre frais moulu

Mettez les œufs dans une casserole d'eau froide, à couvert, et comptez 1 minute à partir du moment où l'eau commence à bouillir. Retirez alors du feu et passez les œufs sous l'eau froide. Écalez-les et laissez-les refroidir. Épluchez la mâche, lavez-la et essorez-la délicatement. Placez-la dans les assiettes, recouvrez-la de tranches d'œufs et de parmesan coupé en lamelles fines. Assaisonnez le tout d'un peu de sel, de poivre, du jus de citron et d'huile d'olive.

■

SALADE DE COUTEAUX
A LA MENTHE

Pour 4 personnes

1 kg de couteaux

un bouquet de menthe fraîche

une petite laitue

3 petits oignons

le jus de 2 citrons

un verre de vin blanc

une gousse d'ail

huile d'olive vierge extra

sel, poivre frais moulu

Salade fumée

Lavez bien les couteaux et laissez-les dégorger à l'eau courante pendant plusieurs heures. Puis mettez-les dans une grande casserole avec le vin blanc et la moitié de la menthe et laissez-les s'ouvrir à feu vif. Sortez les mollusques des valves et mettez-les dans un saladier. Ajoutez le jus de citron, l'ail, les petits oignons hachés et le restant de menthe coupée aux ciseaux pour qu'elle ne perde pas son arôme. Arrosez généreusement d'huile d'olive. Lavez la laitue, déchirez-en à la main les plus grandes feuilles et disposez-la dans les assiettes. Couvrez avec les couteaux marinés et servez.

■

SALADE FUMÉE

Pour 4 personnes

un cœur de frisée

*un petit bouquet de roquette de serre
(feuilles courtes)*

*un bouquet de roquette sauvage
(feuilles longues et plus dures)*

4 champignons de Paris

*une provola fumée (fromage italien)
ou autre fromage fumé*

vinaigre de vin rouge

huile d'olive vierge extra

une cuillerée à café de graines de fenouil

sel

quelques grains de poivre

Mettez dans un mortier le poivre et les graines de fenouil, ajoutez 2 feuilles de roquette et pilez bien jusqu'à obtenir une pâte. Allongez-la de 3 cuillerées de vinaigre et 7 d'huile, salez et mélangez bien. Lavez les salades, essorez-les et déchirez-les à la main. Débarrassez les cham-

pignons de la partie terreuse du pied, rincez-les à l'eau courante, essuyez-les et coupez-les en tranches. Nettoyez l'extérieur de la provola avec un linge humide et coupez-la en tranches extrêmement fines (si possible à la machine). Mélangez tous les ingrédients dans un saladier et, au moment de servir, ajoutez la sauce.

■

SALADE DE POIVRONS AUX RAISINS SECS

Pour 4 personnes

un poivron jaune

un poivron rouge

un poivron vert

2 bottes de roquette

2 cuillerées à soupe de chapelure

une cuillerée et demie de raisins secs

une cuillerée à soupe de pignes de pin

vinaigre de vin rouge

huile d'olive vierge extra

sel, poivre

Épluchez les poivrons, lavez-les, retirez-en les pépins et émincez-les. Faites-les sauter à la poêle 3 ou 4 minutes dans 6 cuillerées d'huile chaude. Puis égouttez-les à l'écumoire et maintenez-les chauds. Jetez dans la poêle les raisins et les pignes pour les faire dorer, retirez-les à l'écumoire et mêlez-les aux poivrons. Ajoutez une cuillerée d'huile dans la poêle et faites-y dorer la chapelure. Entre-temps, vous

aurez épluché et lavé la salade. Déchirez-la en petits morceaux, ajoutez-la aux poivrons, salez, poivrez, assaisonnez le tout de 2 cuillerées de vinaigre et saupoudrez de chapelure. Servez tiède.

■

SALADE DE JAMBON DE PRAGUE A L'ANANAS

Pour 4 personnes

*200 g de diverses salades rouges
(trévise, feuille-de-chêne)*

une tranche de 300 g de jambon de Prague

4 tranches d'ananas frais

quelques cuillerées de jus d'ananas

vinaigre de xérès

huile d'olive vierge extra

sel, poivre créole moulu au dernier moment

Lavez les salades, coupez les feuilles les plus longues et laissez entières celles du cœur. Découpez le jambon de Prague en gros dés et l'ananas en petits morceaux. Réchauffez le jus d'ananas dans une casserole. Quand il devient sirupeux, ajoutez, hors du feu, 3 cuillerées de vinaigre, 4 d'huile et du sel. Versez sur les ingrédients mélangés dans un saladier et saupoudrez généreusement de poivre créole très parfumé.

■

SALADE D'ORANGES AU MELON

Pour 4 personnes

une scarole

un petit melon vert

2 oranges

2 cuillerées à soupe de maïs en grains

4 cuillerées de mayonnaise

2 cuillerées à soupe de yaourt

2 cuillerées à soupe de jus d'orange

une petite gousse d'ail

poivre de Cayenne en poudre

Épluchez la salade, lavez-la et déchirez-la à la main. Lavez bien l'une des oranges et râpez le zeste que vous mettrez de côté. Puis épluchez à vif les deux oranges. Écrasez l'ail, mélangez-le avec la mayonnaise, le yaourt, le jus d'orange, le zeste râpé et 2 pincées de poivre de Cayenne. Ajoutez 3 quartiers d'orange coupés en petits morceaux et mettez la sauce au réfrigérateur. Épluchez le melon et coupez-le en morceaux. Mettez dans un saladier quartiers d'orange, melon, maïs et salade mélangés et servez avec la sauce à l'orange bien froide.

■

SALADE DE POMMES DE TERRE ET D'OIGNONS CARAMÉLISÉS

Pour 4 personnes

300 g de petits oignons pelés

400 g de pommes de terre nouvelles

2 cuillerées à soupe de sucre

vinaigre de cidre

huile d'olive vierge extra ou de maïs

une branchette de romarin frais

sel, poivre blanc frais moulu

Chauffez 4 cuillerées d'huile dans une poêle, mettez-y les petits oignons et laissez blondir à feu doux et à couvert pendant 20 minutes en remuant de temps en temps. Faites cuire les pommes de terre nouvelles à l'eau bouillante salée pendant 10 à 15 minutes. Égouttez-les, passez-les sous l'eau froide et épluchez-les. Mettez-les dans la poêle avec les oignons en ajoutant un peu d'huile si nécessaire. Faites-les dorer à feu vif puis saupoudrez-les de sucre et laissez-les caraméliser. Mouillez enfin de quelques cuillerées de vinaigre pour diluer le caramel et ôtez du feu. Salez, poivrez, parsemez de romarin haché et servez tiède ou froid.

Salade d'oranges au melon

BREAK

On a réuni dans ce chapitre diverses salades qui n'ont apparemment aucun point commun. Certaines ont une saveur assez recherchée, d'autres plus traditionnelle, toutes sont à la fois fraîches, légères, digestes, sans goût caractéristique prononcé. Elles conviennent à merveille au genre de rencontre, courtoise mais non guindée, qu'est souvent le déjeuner d'affaires où l'on se retrouve autour d'une table pour mieux discuter à son aise. En toutes circonstances, elles peuvent entrer dans la composition de n'importe quel menu lorsque vous ignorez les préférences culinaires de vos invités. Si vous attendez des collègues, un client ou votre chef, une salade « break » s'impose.

■

Pages précédentes :
Salade de chèvre au cresson

Salade d'épinards au cantal

SALADE DE CHÈVRE AU CRESSON

Pour 4 personnes

300 g de cresson

2 tomates bien fermes

un petit bouquet de thym frais

300 g de fromage de chèvre (bûche)

20 olives noires

une cuillerée à café de pâte d'olives noires

vinaigre de vin rouge

huile d'olive vierge extra

sel, poivre

Débarrassez le cresson de ses tiges pour ne garder que les feuilles, lavez-les et essorez-les. Lavez les tomates et coupez-les en tranches fines. Coupez le fromage de chèvre en minces rondelles. Disposez les tranches de tomates en rond au bord des assiettes, le cresson et le fromage au milieu et garnissez d'olives et d'un brin de thym. Diluez dans un bol la pâte d'olives noires avec 3 cuillerées de vinaigre et 7 d'huile, ajoutez sel et poivre et une cuillerée de feuilles de thym. Émulsionnez bien la sauce et versez sur la salade au moment de servir.

■

SALADE D'ÉPINARDS AU CANTAL

Pour 4 personnes

300 g d'épinards frais

20 asperges (éventuellement surgelées)

120 g de cantal ou de parmesan

2 œufs

2 cuillerées à soupe de pignes de pin

un citron non traité

150 g de crème fraîche épaisse

sel, poivre frais moulu

131

Débarrassez les épinards des queues et des feuilles les plus dures puis lavez-les plusieurs fois à l'eau froide pour éliminer toute trace de terre. Égouttez-les et épongez-les. Nettoyez les asperges, ficelez-les en botte avec du gros fil blanc et plongez-les dans une casserole d'eau bouillante. Après 5 à 10 minutes, sortez-les de l'eau, coupez-en les pointes et remettez les tiges à cuire jusqu'à ce qu'elles deviennent tendres. Égouttez-les définitivement et réduisez-les en purée à la moulinette à légumes (si elles sont trop aqueuses, faites-les sécher quelques instants sur le feu). Coupez le fromage en lamelles fines, faites griller légèrement les pignes sous le gril du four. Faites cuire les œufs 7 minutes, écalez-les et écrasez-les à la fourchette. Ajoutez à la purée d'asperges la crème, le jus et le zeste râpé d'un demi-citron, salez et poivrez. Battez la sauce au fouet et gardez-la au frais.

Mettez dans un saladier : les épinards, les pointes d'asperges, le fromage et les pignes. Parsemez l'œuf émietté et servez la sauce à part. Si vous préférez un assaisonnement plus léger, préparez une vinaigrette avec 3 cuillerées de jus de citron, 6 d'huile d'olive, du sel, beaucoup de poivre et 2 cuillerées de purée d'asperges.

■

Nettoyez soigneusement les moules sous l'eau courante en grattant les coquillages incrustés et en enlevant les barbes. Mettez-les dans une grande casserole à découvert et à feu vif. Dès qu'elles commencent à s'ouvrir, retirez l'eau qu'elles auront rendue, ajoutez le vin blanc, l'oignon finement haché et le laurier. Laissez-les s'ouvrir complètement en les tournant de temps à autre, puis sortez-les des valves. Filtrez le jus de cuisson et remettez-le sur le feu à réduire à la valeur de 2 cuillerées de liquide. Dès qu'il sera refroidi, allongez-le avec le jus de citron et 6 cuillerées d'huile, ajoutez du poivre et une cuillerée de persil haché ; ne salez qu'après avoir goûté. Nettoyez et coupez les haricots verts en morceaux. Épluchez les courgettes en bandes alternées et coupez-les en rondelles de 1 centimètre d'épaisseur. Blanchissez ces 2 légumes 5 à 7 minutes à l'eau bouillante salée. Égouttez-les encore croquants. Épluchez la mâche, lavez-la et essorez-la soigneusement. Mettez le tout dans un saladier. Parsemez de brins de persil, arrosez de sauce au citron et mélangez bien avant de servir.

■

SALADE DE MOULES

Pour 4 personnes

200 g de mâche

2 petites courgettes nouvelles

100 g de haricots verts

1,2 kg de moules

un petit bouquet de persil frisé

un petit oignon

une feuille de laurier

un demi-verre de vin blanc sec

3 cuillerées à soupe de jus de citron

huile d'olive vierge extra ou de maïs

sel, poivre blanc frais moulu

SALADE DE COURGETTES CRUES

Pour 4 personnes

10 petites courgettes nouvelles

un bouquet de menthe fraîche

150 g de yaourt

2 cuillerées à soupe de crème fraîche

huile d'olive vierge extra

une cuillerée à soupe de jus de citron

une cuillerée à soupe de moutarde de Dijon

sel, poivre

Salade aux câpres

Lavez les courgettes, coupez-en les extrémités et découpez-les en rondelles fines. Assaisonnez d'un filet d'huile, du jus de citron, salez et poivrez. Délayez la moutarde avec la crème, ajoutez le yaourt, du sel et du poivre. Faites chauffer la préparation au bain-marie en mélangeant continuellement. Quand elle est tiède, versez-la dans une saucière réchauffée. Servez les courgettes parsemées de menthe hachée avec la sauce à part.

■

SALADE DE ROQUEFORT AU PORTO

Pour 4 personnes

2 petites laitues

250 g de roquefort

*2 cuillerées à soupe
de noisettes décortiquées*

une gousse d'ail

le jus d'une moitié d'orange

vinaigre de xérès

2 cuillerées à soupe de porto

une cuillerée à soupe de moutarde

une noix de beurre

huile d'olive vierge extra ou de maïs

sel, poivre

Mettez dans une casserole le beurre, l'ail, ajoutez les noisettes grossièrement hachées et laissez-les dorer en mélangeant de temps en temps. Égouttez-les sur une feuille de papier absorbant. Lavez les laitues et réservez quelques belles feuilles pour orner le plat. Déchirez les autres, mélangez-les avec les noisettes et mettez-les au centre du plat. Ajoutez-y le roquefort émietté à la fourchette. Diluez dans un bol la moutarde avec un peu de sel et de poivre, une cuillerée à soupe de vinaigre et le porto, incorporez en battant au fouet le jus d'orange et 6 cuillerées d'huile. Ne versez la sauce sur la salade qu'au moment de servir.

SALADE AUX CAPRES

Pour 4 personnes

*500 g de mozzarella ou
de tomme fraîche*

un demi-poivron rouge

une courgette

*150 g de salades diverses
(mâche, feuille-de-chêne)*

*2 cuillerées à soupe
de câpres au vinaigre*

2 tomates bien mûres

une cuillerée à soupe d'origan séché

vinaigre de vin rouge

huile d'olive vierge extra

sel, poivre frais moulu

Lavez les petites salades et essorez-les bien. Émincez le poivron. Découpez la courgette en bâtonnets que vous faites cuire 30 minutes à l'eau bouillante salée. Mélangez le tout et disposez d'un côté des assiettes. De l'autre, placez quelques tranches de fromage et parsemez de câpres. Ébouillantez les tomates 1 minute dans l'eau bouillante et pelez-les. Puis coupez-les en deux, retirez les pépins et concassez la pulpe. Mélangez 3 cuillerées de vinaigre et 7 d'huile, ajoutez le sel et le poivre, la tomate et l'origan. Arrosez les plats de cette sauce et servez.

Salade de poulpes

SALADE D'ARTICHAUTS
A LA MOUTARDE

Pour 4 personnes

4 petits artichauts poivrade ou violets

2 bottes de chicorée rouge

une cuillerée à soupe bien pleine
de moutarde de Dijon

le jus d'un citron

vinaigre de vin blanc à l'estragon

2 cuillerées à soupe
de crème fraîche épaisse

huile d'olive

sel, poivre

Lavez la chicorée,
essorez-la, déchirez les feuilles les plus grosses, laissez celles du cœur. Débarrassez les artichauts des
feuilles les plus dures et des pointes. Ouvrez-les en
deux et retirez le foin. Coupez-les en tranches et
mettez-les à tremper dans de l'eau additionnée de
jus de citron pour éviter qu'ils noircissent. Pour la
sauce, mélangez dans une terrine la moutarde avec
3 pincées de sel, une de poivre et une cuillerée à
soupe de vinaigre. Montez la sauce en mélangeant
continuellement à l'aide d'une cuillère en bois, tout
en versant en filet près d'un demi-verre d'huile. A
la fin, ajoutez la crème qui devra être à tempéra-
ture ambiante pour ne pas briser la sauce. Au
moment de servir, égouttez les artichauts, essuyez-
les, joignez la chicorée et ajoutez la sauce.

■

SALADE DE POULPES

Pour 4 personnes

1 kg de petits poulpes (ou de calamars)

2 petits pamplemousses roses

une laitue ou une chicorée rouge

une petite botte de trévise

un petit bouquet d'aneth frais

le jus de 2 citrons

huile d'olive vierge extra

sel, poivre blanc et poivre noir mélangés

Nettoyez soigneusement les poulpes : enlevez la poche, les yeux, le bec et la peau noire, puis lavez-les à l'eau courante. Faites bouillir de l'eau salée, plongez-y les poulpes et laissez-les cuire à petite ébullition pendant 15 à 45 minutes selon leur grosseur. Quand ils sont cuits (vérifiez la cuisson en enfonçant une lame de couteau dans la partie épaisse), égouttez-les, coupez-les en petits morceaux et mettez-les dans une terrine. Assaisonnez avec le jus d'un citron, 2 cuillerées d'huile, du sel, les poivres blanc et noir moulus à l'instant et une cuillerée d'aneth haché. Couvrez le récipient et laissez mariner les poulpes plusieurs heures en remuant de temps en temps. Épluchez et lavez les salades. Émincez la laitue. Épluchez les pamplemousses entiers et détachez les quartiers en glissant une lame de couteau entre chaque. Recueillez dans un bol le jus écoulé pendant cette opération et ajoutez-y 2 cuillerées de jus de citron et 6 d'huile, du sel et du poivre. Émulsionnez bien au fouet. Mélangez la laitue avec les poulpes et les quartiers de pamplemousse. Arrosez de sauce et répartissez dans les assiettes. Saupoudrez du restant d'aneth haché et garnissez de feuilles de trévise.

■

BLANCS DE POULET MARINÉS

Pour 4 personnes
2 blancs de poulet entiers
2 carottes
4 branches de céleri
2 petits oignons rouges
un pied de romaine
10 olives vertes
une demi-cuillerée à soupe de feuilles de thym
un petit bouquet de basilic
un demi-litre de bouillon
vinaigre de vin rouge
huile d'olive vierge extra
sel, poivre

Épluchez les carottes, le céleri et les oignons. Mettez-les dans le bouillon, portez à ébullition et, 10 minutes après, ajoutez les blancs de poulet nettoyés et coupés en deux. Laissez cuire 10 autres minutes. Égouttez et mettez le poulet à refroidir au réfrigérateur enveloppé dans une feuille d'aluminium. Coupez carottes et céleri en petits dés. Pressez l'oignon au chinois et remettez-le sur le feu avec 6 cuillerées de bouillon. Quand il aura séché, ajoutez 5 cuillerées de vinaigre. Dès que la moitié de celui-ci sera évaporée, éteignez et laissez refroidir. Ajoutez un demi-verre d'huile, du sel et du poivre. Découpez finement les blancs de poulet et couvrez-les de macédoine de légumes et de marinade ; laissez reposer une bonne demi-journée au réfrigérateur en tournant de temps en temps. Au moment de servir, émincez finement la salade. Mélangez-la avec les olives dénoyautées et hachées, le thym et le basilic. Répartissez-la dans les assiettes et placez dans chacune la valeur d'un demi-blanc de poulet avec 2 cuillerées de marinade.

■

SALADE DE PÊCHES AU FROMAGE DE BREBIS

Pour 4 personnes
un cœur de scarole
un pied de frisée
2 pêches blanches
200 g de fromage de brebis des Pyrénées (à croûte ocre clair)
une cuillerée à soupe et demie de raisins de Corinthe
8 cerneaux de noix
vinaigre de vin blanc
huile de noix
sel, poivre

Lavez les salades et essorez-les séparément. Disposez la scarole en petits morceaux au bord des assiettes, la frisée au milieu. Épluchez les pêches et coupez-les en tranches.

Salade de pêches au fromage de brebis

Découpez le fromage en bâtonnets. Répartissez ces ingrédients sur les salades. Ajoutez les noix et les raisins de Corinthe. Préparez une vinaigrette en mélangeant 2 cuillerées de vinaigre et 5 d'huile. Salez, poivrez et versez sur les plats au moment de servir.

■

SALADE
DE HARICOTS VERTS
ET DE POIS GOURMANDS

Pour 4 personnes

250 g de haricots verts extra-fins

250 g de pois gourmands ou mange-tout

une petite botte de ciboulette

un petit bouquet de persil

huile d'olive vierge extra

60 g de beurre

le jus d'un citron et demi

sel, poivre

Épluchez les haricots verts et les pois, en retirant les extrémités et les fils. Faites blanchir à l'eau bouillante salée, 12 minutes les haricots verts, 5 ou 6 minutes les pois. Égouttez-les encore « al dente » et assaisonnez d'un peu d'huile. Lavez et hachez finement les herbes. Faites fondre le beurre dans une petite casserole que vous tiendrez en bordure du feu et faites-le mousser au fouet en ajoutant progressivement le jus de citron. Assaisonnez avec les herbes, du sel et du poivre. Versez la sauce sur les légumes tièdes et servez sans attendre.

■

SALADE DE GAMBAS
AUX FRUITS

Pour 4 personnes

une laitue

un pamplemousse

2 pommes de reinette

une banane

400 g de queues de gambas

150 g de mayonnaise

vinaigre de vin blanc

2 cuillerées à soupe de crème fouettée

3 cuillerées à soupe de jus de citron

sel, poivre gris frais moulu

Mélangez la mayonnaise avec le vinaigre et une cuillerée de jus de citron. Incorporez délicatement à la spatule la crème fouettée et poivrez généreusement. Lavez la laitue, mettez de côté les plus belles feuilles et déchirez les autres à la main. Lavez les pommes, coupez-les en quatre, retirez-en le cœur et découpez-les en tranches. Épluchez le pamplemousse entier et séparez-le en quartiers. Coupez la banane en rondelles. Mettez tous les fruits dans un saladier et arrosez-les du jus de citron restant. Plongez les gambas 6 ou 7 minutes dans l'eau bouillante salée. Égouttez-les et décortiquez-les. Disposez sur les assiettes les feuilles de laitue entières. Ajoutez les morceaux de laitue, les fruits et les gambas. Arrosez chaque plat d'une cuillerée de sauce et servez le restant dans une saucière.

■

SALADE DE ROSBIF
AUX LÉGUMES

Pour 4 personnes

150 g de mâche

150 g de pommes de terre nouvelles

150 g de jeunes carottes
(éventuellement surgelées)

100 g de tomates-cerises

12 tranches fines de rôti de bœuf

100 g de mayonnaise

un quart de poivron rouge

une petite botte de ciboulette

2 cuillerées à soupe de lait

Tabasco

paprika doux en poudre

vinaigre de vin rouge

sel, poivre

Commencez par préparer la sauce : mélangez la mayonnaise avec une cuillerée de vinaigre, une demi-cuillerée à café de paprika, quelques gouttes de Tabasco, le lait, le poivron haché finement et une cuillerée de ciboulette hachée. Salez, poivrez à volonté et gardez au réfrigérateur jusqu'au moment de l'utiliser. Rincez bien les pommes de terre et éliminez toute trace de terre, puis faites-les cuire 10 minutes à l'eau bouillante salée (ou jusqu'à ce qu'elles soient tendres). Égouttez-les et coupez-les en tranches sans les éplucher. Faites cuire également les carottes 6 ou 7 minutes. Lavez les tomates, coupez-les en deux. Lavez et essorez la salade. Répartissez les légumes et la salade dans les assiettes. Étalez une demi-cuillerée de sauce sur chaque tranche de rôti, roulez-les et liez-les avec un brin de ciboulette. Mettez 3 rouleaux au milieu de chaque assiette et servez le restant de sauce à part.

■

ŒUFS POCHÉS EN SALADE

Pour 4 personnes

un cœur de frisée

150 g de mâche (ou autre salade nouvelle)

4 tranches de pain de mie

4 gros œufs

2 jaunes d'œufs

100 g de beurre

*3 cuillerées à soupe
de vin blanc sec*

le jus d'un citron

vinaigre de vin blanc

sel, poivre

Lavez les salades, essorez-les et déchirez à la main les feuilles les plus grosses. Coupez le pain de mie en petits dés que vous faites griller sous le gril du four. Pour la sauce : faites fondre le beurre et laissez-le tiédir. Au bain-marie, battez au fouet les deux jaunes et le vin blanc. Dès que le mélange commence à épaissir, ajoutez progressivement le beurre. Assaisonnez avec une cuillerée de jus de citron (ou davantage, à volonté), du sel et du poivre. Maintenez au bain-marie jusqu'au moment de servir. Faites chauffer une casserole d'eau. Quand l'eau commence à bouillir, ajoutez 2 cuillerées de vinaigre, baissez le feu et déplacez la casserole sur le bord. Cassez un œuf dans une assiette et faites-le glisser dans l'eau frémissante. Dès que le blanc est pris, sortez l'œuf à l'écumoire et procédez de même avec les autres œufs. Mettez la salade et les croûtons de pain dans les assiettes. Placez un œuf au milieu. Nappez d'une cuillerée de sauce et servez-en le restant à part.

INDEX DES RECETTES